Rustig blijven, niks aan de hand!

Andere boeken over Sil, Geerten en Mare zijn:
Met de koppen tegen elkaar
Gestampte meisjes en weggegooide jongens
Mag ik je spook even lenen?
(bekroond met een Zilveren Griffel 2003)
Wat nou weer?!
(verzamelbundel van de drie bovengenoemde boeken)
Sinterklaas kan best tegen een grapje
Pas op voor die oliebol!
Drakensnot met tumtummetjes
Lieve mama
Hup, papa!

Selma Noort schreef ook:
Pol en Lot – de poort
Pol en het geheim in de verborgen tuin
Pol en de kans van zijn leven
Raven, de jongen van het eiland
Het geheim van de snoepfabriek
Het geheim van het spookhuis

www.leopold.nl
www.selmanoort.nl

Selma Noort
Rustig blijven, niks aan de hand!

met tekeningen van Harmen van Straaten

LEOPOLD / AMSTERDAM

Copyright © Selma Noort 2007

Omslagtekening en illustraties Harmen van Straaten

NUR 272/282 / ISBN 978 90 258 5114 9

Voor het tot stand brengen van dit boek heeft de auteur een werkbeurs
ontvangen van het Fonds voor de Letteren.

Inhoud

Wegwezen!

Het is zomervakantie. Sil van tien, zijn broer Geerten van negen en hun zusje Mare van vijf hangen al de hele dag rond bij huis omdat het te heet is om iets te gaan doen. Maar nu de zon wat lager staat, willen papa en mama naar het strand.

Geerten kijkt op het tellertje dat de temperatuur in de auto aangeeft. 'Achtendertig graden! Dit is de allerheetste dag! En er staat vast weer een file! Er staat altijd een file!' roept hij.

'Nee, nee. Dit keer niet. Want de mensen gaan 's mórgens naar het strand! En nu is het laat in de middag. Nu gaan ze naar huis om te eten, dat zal je zien. En dan hebben wij mooi de ruimte om in zee te zwemmen en daarna gaan we lekker eten bij zo'n strandpaviljoen. En terwijl jullie dan voetballen, kijken mama en ik hoe de zon ondergaat. Bijna niemand gaat tegen de avond naar het strand, je zult het zien,' zegt papa bezwerend. Met een opgewekte zwaai tilt hij de strandspullen in de kofferbak.

Sil, Geerten en Mare gaan mopperend op de hete achterbank zitten. Papa geeft gas en rijdt de parkeerplaats af, het bruggetje over de dorpsstraat in. Het is rustig in het dorp, want de meeste mensen zijn op vakantie. Een paar kinderen met handdoeken om hun nek komen van het zwembad gefietst en grote jongens springen van de brug af, de Rijn in. De brugwachter staat er bezorgd bij te kijken.

Er ligt ook al een lange file van bootjes die onder de brug door willen. Mare draait zich zover mogelijk om, zodat ze ernaar kan blijven kijken.

'Als juf Gerda van groep drie vraagt waar ik ben geweest in de vakantie, dan zeg ik kamperen in Frankrijk en op het strand, want we gaan heel vaak naar het strand,' zegt ze.

Als je tegen de avond naar het strand gaat, zijn alle parkeer-plaatsen bezet. Daar heeft papa niet aan gedacht. Maar hij blijft monter rondjes rijden. 'Jullie zullen zien,' zegt hij tegen Sil, Mare en Geerten die op de achterbank zitten te puffen en te zuchten, 'dat het strand zo leegstroomt. Wacht maar af.'

Eindelijk gaat er een mevrouw weg die wel vijf honden in de duinen heeft uitgelaten. Het duurt even voor al die honden in de auto zitten, maar dan is er ook een parkeerplaats vrij. Sil, Geerten en Mare stappen uit.

'Moet je zien, het smelt hier!' zegt Sil. Hij stampt op het kle-verige asfalt.

'Niet doen!' Mama geeft hem een duwtje. 'Zullen we de strandspullen maar in de kofferbak laten liggen? Dan slaan we allemaal een handdoek over onze schouders, dan hoeven we niet zo te sjouwen.'

'Ik neem het rugzakje met de portemonnee wel.' Papa gooit de voetbal naar Sil, geeft iedereen een badlaken en hangt het rugzakje bij zichzelf om. Met een klap slaat hij de kofferbak dicht. 'Nou, kom jongens, want ik ben zo onderhand bijna ge-braden!' zegt hij met een grijns. 'Als ik straks in zee duik, dan hoor je het sissen, wedden?'

Mare moet lachen. 'Net als de hete koekenpan onder de kou-de kraan, hè?'

Papa knikt. Hij geeft haar een hand. Samen beginnen ze te-gen het hoge duin op te klimmen. De zon brandt op hun hoof-den. Hun voeten zakken diep weg in het hete zand.

Over het duin heen, op weg naar de parkeerplaats, komen al wat mensen terug van het strand. 'Dat is mooi, gaan jullie maar fijn allemaal naar huis,' zegt papa elke keer zacht tegen Mare als er een familie met dreinende kinderen voorbijkomt. En dan knijpt hij zacht in haar hand.

'Ja, wegwezen!' giechelt Mare. 'Ophoepelen allemaal.'

Nog drie stappen, nog twee, nog één... En ze zijn boven.

Mare heeft papa's hand losgelaten. Ze tuurt. Ze ziet de zee wel. Maar het strand niet, want de mensen liggen er vlak naast elkaar, als kleurpotloden in een doos.

'Ze weten niet dat ze naar huis moeten om te eten, want ze hebben hun horloge niet om omdat ze anders een wit streepje op hun vel krijgen,' zegt Mare om papa te troosten.

'Hm. Tja. Dat zal het zijn.' Papa blijft stilstaan. Sil, Geerten en mama komen boven aan en kijken naar beneden. 'O, nee toch,' kreunt mama.

'Ze gaan vast zo weg, jongens,' zegt papa. 'Vroeger, toen ik klein was, ging ik ook wel eens 's avonds met opa en oma, oom Thijs en oom Doris naar het strand. En dan was het stil, joh. Dan kregen wij een ijsje en opa en oma namen koffie mee in een thermosfles.'

Sil en Geerten staan nu naast papa.

'Toen waren er nog niet zoveel mensen,' moppert Geerten. 'Dat was een andere tijd.'

'Ja, er waren er toen pas een heleboel doodgeschoten in de oorlog,' verklaart Sil. 'Daarom was het toen nog rustig op het strand.'

'SIL! Hoe kom je dáár nou weer bij? Wat zeg jij toch altijd een rare dingen! De oorlog had er niets mee te maken, bovendien was die toen al meer dan twintig jaar voorbij,' roept papa uit. 'Er wonen nu gewoon veel meer mensen in Nederland dan vroeger.'

'Waar komen die dan allemaal vandaan?' vraagt Mare. 'Uit andere landen?'

'Nee! Eh ja, ook wel, maar eh... het meest omdat mensen gewoon kinderen kregen.'

'Dat kan niet,' zegt Geerten beslist. 'Jouw oma had dertien kinderen en mama's oma elf. En jouw tante Griet heeft er tien. Vroeger kregen de mensen veel meer kinderen en nu soms maar twee of helemaal niet als ze homo zijn of zakenman, en soms drie, zoals bij ons. Dus er worden minder kinderen geboren dan vroeger.'

'Ja, hoe kan dat nou?' vraagt Sil verwonderd.

Mare giechelt. 'Ze zijn uit de lucht komen vallen.'

'Daar heb je haar weer,' smaalt Sil. Maar hij kijkt naar de mensen op het strand die daar inderdaad liggen alsof ze er zo zijn neergesmakt, en grinnikt een beetje.

Mama maakt een einde aan de discussie. 'Laten we eerst maar gaan eten, dan loopt het strand intussen wel leeg.'

Ze sjokken achter haar aan. Beneden staat een groot houten strandpaviljoen, met geel-wit gestreepte parasols en een klapbord waar foto's van verschillende ijsjes op staan. Er staat ook nog een schoolbord bij de ingang. Pas als ze bijna beneden is, kan mama de krijtlettertjes lezen.

'Ja zeg!' zegt ze verontwaardigd. 'Wat is dit nou?'

'*Sorry, maar omdat onze bezetting de drukte niet aankan, gaat de keuken vandaag om vijf uur dicht...*' leest papa hardop.

'Bij die andere strandtent dan, verderop?' stelt Sil voor.

Verslagen zigzaggen ze achter mama aan tussen mensen door. 'Als die nog maar wel open is,' zegt Geerten ongerust.

Halverwege staat een groepje mensen verloren om zich heen te kijken. 'Waar kunnen we nog meer heen?' vragen ze aan elkaar. 'Als we helemaal de boulevard op moeten, is daar natuurlijk weer geen parkeerplaats.'

'U meent het niet!' zegt mama plompverloren. 'Is de keuken van die strandtent ook al gesloten?' Ze wijst.

'Overal,' zegt een man uit het groepje. 'Ze kunnen het niet aan. Het is veel te druk. Ik hoorde dat ze vandaag na de lunch al door de voorraad eten heen waren.'

'Och,' zegt mama verslagen. 'Ik had me nog wel zo verheugd op een lekkere Griekse salade.'

'Wij ook,' zeggen de mensen uit het groepje.

'Nou krijg ik geen patat!' klaagt Mare pruilend. 'Omdat er te veel mensen zijn in Nederland.'

De mensen schieten in de lach. 'Je kunt vast nog wel ergens een ijsje kopen,' zeggen ze troostend. Maar dat vindt Mare domme troost. 'Ik mag van mijn moeder toch zeker niet snoepen voor het eten!' snauwt ze.

Er staat een enorme file. Omdat er nergens gegeten kan worden, gaan alle mensen naar huis. Allemaal over dezelfde smalle weg.

'Pfff, het is nog steeds achtendertig graden,' puft Geerten. Papa kijkt niet opgewekt meer. Mama staart zwijgend uit het raam. Mare leunt slaperig tegen Sil aan.

'En nou heb ik nog niet gevoetbald,' zegt Sil tegen papa. 'We hebben zelfs niet eens gezwommen.'

Mare, Sil en Geerten liggen in de tuin op een slaapzak onder de notenboom. Oud snoeihout brandt vonkend in de vuurkorf. Op de tuintafel staat een grote kaars die naar citroen ruikt, omdat muggen niet van dat luchtje houden.

'Het was lekker onder het koude water uit de tuinslang,' zegt Sil. 'En het was ook lekkere macaroni.'
'Lekkerder dan patat op het strand, mama,' zegt Mare.
Mama en papa drinken koffie. De thermoskan staat op tafel. Ze zitten met hun rug naar de boom en turen naar de hemel boven de hoge populieren aan de dijk. Binnen staat de radio aan. Jazzmuziek komt zacht door de openstaande schuifpui naar buiten.
'Ja. Nú is de zon onder,' zegt mama ineens.
'Hoe kan je dat nou zien achter de bomen?' zegt Geerten on- gelovig.
'Ik zie het aan de oranje kleur van de lucht. O, kijk! Daar zijn de vleermuisjes!'

Sil, Mare, en Geerten draaien zich op hun rug en kijken naar de kleine donkere diertjes die telkens overscheren tussen hoge beukenbomen achter het huis en de oude bomen op de begraafplaats, verderop.

Ineens zegt Sil: 'Mama, Mare slaapt.'

'Laat haar maar lekker liggen, Sil.'

'Mogen wij ook buiten slapen?' vraagt Geerten.

'Ja hoor, wij dragen jullie strakjes wel naar bed.'

Sil en Geerten staren naar de takken van de notenboom voor de steeds donkerder wordende hemel. De egel, die al jaren in de tuin woont, komt tevoorschijn en ritselt luidruchtig tussen de struiken langs het snipperpad. Papa en mama praten zacht.

'Geen file, geen ergernis, een parkeerplek en de keuken is hier ook open,' zegt papa tegen mama. Ze lachen zacht. 'We blijven morgen ook thuis, goed? We fietsen wel naar oma over het polderpad. Daar staat tenminste nooit een file.'

'En we gaan gewoon hier in het dorpszwembad zwemmen, hè?' vraagt Sil.

'Slaap je nou nog niet?' zegt papa lachend.

'Geerten slaapt al,' zegt Sil. 'En ik slaap bijna, dus nou moeten jullie niks meer tegen me zeggen.'

Het blijft een hele tijd stil. Dan wijst mama. 'Hé, kijk! Vuurwerk. Daar!'

'Da's vast helemaal aan het strand,' zegt papa.

'Goh, dat je dat vanaf hier kunt zien.' Mama kijkt om naar Sil, Geerten en Mare. 'Sil!' fluistert ze dringend. 'Sil? Slaap je?'

Sil geeft geen antwoord meer.

Mama draait zich weer om en kijkt in de donkere lucht waar vuurpijlen exploderen in een regen van roze, groene en gouden ballen. Ergens ver weg, bij de zee.

Telefoon voor Sandra

Nog twee nachtjes slapen en dan gaan ze naar Frankrijk. Bijna alle tassen staan al gepakt. Papa heeft de heg geknipt. Hij heeft de olie van de auto bijgevuld, benzine getankt en de banden opgepompt. En nu hij net lekker zit moet hij met mama mee om nieuwe broeken te gaan kopen, ook al wil hij dat niet.

'Zeur niet! Je hebt nu eens tijd,' zegt mama streng. 'Je loopt er verdorie bij als een voddenraper. Na de vakantie moet je weer naar je werk en dan komt het er niet van!'

In het overdekte winkelcentrum zet mama Sil en Geerten hardhandig aan hun arm de winkel uit, omdat ze overal aan zitten. Mare zit nergens aan – alleen maar aan het gordijn van het pashokje. Dat trekt ze telkens opzij om 'kiekeboe' te roepen naar papa die daar zuchtend in zijn onderbroek staat. En dat mag ook al niet van mama. Ze pakt Mare bij haar arm en duwt haar ook de winkel uit, de gang van het overdekte winkelcentrum in.

'Vlakbij blijven en met niemand meegaan! Denk erom!' snauwt ze.

Beledigd kijkt Mare om zich heen. Sil en Geerten staan voor de etalage van de speelgoedwinkel aan de overkant. Mare gaat naast Geerten staan.

'Haha, heeft mama jou er ook uitgeknikkerd?' zegt Sil als hij haar ziet.

'Ik zat nergens áán!' zegt Mare verontwaardigd. 'Mama is gewoon sacherijnig.'

'Nou,' beaamt Sil. 'Niet normaal meer.'

'Maar ik snap ook niet dat papa geen nieuwe broeken wil,' zegt Geerten. 'Wie wil er nou geen nieuwe kleren?'

'Wat valt daar nou aan te snappen!' Sil snuift. 'Het is altijd onwijs heet in zo'n klein rothok achter zo'n gordijn. Ik snap het wel, hoor.'

Ze slenteren weg van de speelgoedwinkel.

'Als ik nieuwe kleren aanheb, dan zegt juf Kitty altijd: "O, Mare, je lijkt wel een prinses!"' vertelt Mare genietend.

Sil begint ineens te hollen. 'Moet je zien!' Hij rent naar een schoenwinkel waar een rek met teenslippers in de deuropening staat. Er staan dure van leer, gouden met glinstertjes erop, en knalroze met pluizige hartjes aan een touwtje. 'Haha, wie trekt dat nou aan!' Sil pakt er een en steekt zijn hand erin. Een verkoopster binnen kijkt geërgerd op.

Mare stoot Sil aan. 'Zet terug, Sil! Je moet niet overal áán zitten!'

Sil kwakt de slipper terug. 'Zullen we even bij de dieren kijken?'

In de etalage van de dierenwinkel staat een groot aquarium. Sil en Geerten kijken altijd heel lang naar de vissen. Mare vindt daar niet veel aan. Ze gaat liever naar de konijntjes en de cavia's. Maar die staan binnen, en ze durft niet naar binnen zonder papa of mama.

Mare stapt een stukje weg en kijkt om zich heen. Het is erg druk. Overal lopen mensen achter volle supermarktkarretjes op weg naar de parkeergarage. Bij de bloemenwinkel staat zelfs een hele rij mensen voor de kassa.

In het midden van de hal staan vier koude, metalen bankjes naast een vuilnisbak en een telefoonpaal. Er zitten een paar oude mannen op de bankjes, en een jongetje dat een smeltend ijsje eet. Uit de geluidboxen in de gangen klinkt opgewekte muziek. Het is een lawaai en een drukte van jewelste... en in al die drukte hoort Mare een geluid.

Bliep-bliep, bliep-bliep...

Een mevrouw die langsloopt hoort het ook en kijkt op haar mobieltje – maar het is haar mobieltje niet – en lachend steekt ze het weer in haar tas. Mare kijkt opnieuw om zich heen. Sil en Geerten staan nog bij het aquarium. De oude mannen kijken niet op of om, het jongetje likt gewoon door aan zijn ijsje en het gebliep klinkt nog steeds.

Mare loopt langzaam naar de telefoon aan de paal terwijl ze in het rond blijft kijken. Er komt niemand naar de paal toe. Niemand hoort dat die telefoon bliept.

Mare neemt de hoorn van de haak. 'Met Mare.'

'Hallo, mag ik Sandra even aan de telefoon?' vraagt een mannenstem.

Mare kijkt rond. 'Een ogenblikje,' zegt ze keurig. De oude mannen heten natuurlijk niet Sandra. En het jongetje ook niet. Misschien die mevrouw met de hoofddoek om en die kinderwagen.

'Heeft ze een hoofddoek om en een baby?'

'Hè?'

'Ik ga haar wel even zoeken.' Mare hangt de hoorn voorzichtig naar beneden aan het snoer. Ze doet een paar stapjes tussen de mensen. Een vrouw met een volle boodschappentas botst tegen haar op. Mare stapt naar achteren, op de tenen van iemand anders. 'Hola!' zegt een man. 'Pas op, meisje.' En hij geeft haar weer een klein duwtje tussen de mensen vandaan.

Mare gaat terug naar de telefoon. 'Hoe ziet Sandra eruit?' vraagt ze.

'Ja zeg!' zegt de man. 'Neem je mij in de maling?'

Mare schrikt. Ze houdt de hoorn weg van haar oor en roept met een schril stemmetje: 'Sáááándra!'

Een van de oude mannen kijkt op. 'Zo, jij kan hard schreeuwen.'

'Er is telefoon voor Sandra,' legt Mare uit.

De man kijkt verbaasd naar de hoorn in Mares hand. 'Dat kan niet,' zegt hij beslist.

Hij stoot de man naast hem aan. 'D'r is hier telefoon voor ene Sandra,' zegt hij. 'Dat kan toch niet?'

De andere oude man kijkt nu ook naar Mare. 'Nee, dat kan niet,' zegt hij.

Mare brengt de hoorn weer naar haar mond. 'Het kan niet,' zegt ze.

De man aan de andere kant van de telefoon zegt een lelijk woord.

'Die meneer zegt dat het niet kan, en die andere meneer zegt het ook, en ik kan Sandra niet vinden,' zegt Mare. Ze huilt bijna.

'Tuut, tuut, tuut,' doet de telefoon.

Mare hangt de hoorn op de haak. 'Hij is weg,' zegt ze onthutst tegen de oude mannen.

'Wie?' vragen de mannen.

'Die meneer van de telefoon!'

'Dan zal hij wel hebben opgehangen,' zegt de ene man tegen de ander.

En de ander zegt: 'Ja, want je kan helemaal niet naar een paal bellen. Hoe kan er nou een vent naar een paal bellen?'

'Je mág vast niet eens naar een paal bellen,' zegt de eerste weer. 'Want dan is die paal de hele tijd in gesprek en dan kan niemand hem gebruiken.'

Gelukkig komt Sil naar Mare toe. 'Mama is ons aan het zoeken, kom!' Hij trekt haar mee aan haar hand. Mare heeft net tijd om nog even om te kijken en 'da-ag' tegen de oude mannen te zeggen.

Papa draagt een plastic tas. Hij staat naast Geerten bij het aquarium. Mama staat met haar rug naar de etalage in het rond te zoeken. Haar gezicht licht op als ze Mare ziet. 'O, gelukkig, daar ben je. Nou, papa heeft eindelijk twee fatsoenlijke broeken. Ga je mee een ijsje eten?'

Ze steekt haar hand uit naar Mare. Mare pakt hem stevig vast.

Papa gaat voorop. Mama trekt Mare mee. Ze gaan met een roltrap het drukke winkelcentrum uit, de frisse lucht in. Buiten waait het, en de zon schijnt.

'Gaan we naar de kinderboerderij?' vraagt Mare.

Mama knikt. 'Ja,' zegt ze. 'We gaan een deftig ijsje uit een glas eten, daar bij dat restaurant in het park.'

Sil en Geerten juichen. Ze rennen vooruit naar het zebrapad en wachten bij het stoplicht. Als het licht op groen springt, hollen ze naar de overkant, naar de ingang van het park. Even later lopen ze alle vijf onder de bomen. Het gedruis van het verkeer verdwijnt steeds verder en Mare begint te huppelen. 'Mogen we ook even in de speeltuin?'

'Ja hoor.' Mama geeft een kneepje in Mares hand voor ze hem loslaat. 'Hollen maar, schat.'

Een ober brengt de ijsjes op een glimmend dienblad. Vijf sorbets met paraplutjes en rietjes en een enorme dot slagroom bovenop.

'Wauw!' roept Sil.

'Sssht, niet zo hard, Sil, denk om de andere mensen,' zegt mama vermanend. Maar ze lacht en ze kijkt al net zo verlekkerd naar de sorbets als Sil.

Als de ober is weggegaan, trekt Mare haar parapluutje uit de slagroom. 'Ruilen?' vraagt ze aan mama. Mama heeft een roze parapluutje en Mare een groen.

'Jij mag mijn parapluutje wel hebben,' zegt mama.

'En dat van mij ook,' zegt papa. Papa heeft een geel parapluutje.

Mare legt haar drie parapluutjes netjes dichtgevouwen naast elkaar op de tafel voordat ze begint te eten. Sil zit door zijn rietje te slurpen, hij heeft zijn slagroom al op.

In de bosjes onder de bomen om Mare heen ritselen en fluiten vogels. De wind blaast koel langs haar gezicht en de zon blikkert in het water van het fonteintje in het midden van het terras. En dan hoort ze een vrouwenstem achter zich zeggen: 'Nee, Sandra, dat is niks voor mij.'

Mare laat haar lepel zakken. Ze kijkt om. Achter haar zitten een vrouw en een groot meisje met een bord eten voor zich. De vrouw zegt: 'Daar zou ik eerst eens goed over na moeten denken.' Het is dezelfde stem van zonet.

Mare legt haar lepel neer. Mama kijkt op. 'Wat is er, schat? Je hebt nu toch niet al genoeg?'

'Nee-ee...' Mare glijdt van haar stoel. Ze loopt naar de vrouw en het grote meisje. Papa, mama, Sil en Geerten kijken haar verbaasd na.

'Er was telefoon voor jou,' zegt Mare.

Eerst begrijpt het grote meisje niet dat Mare tegen haar praat. Maar als Mare blijft staan, laat ze haar vork zakken.

'Wat zeg je? Telefoon?'

'Mare, wat is er? Laat die mensen eens met rust,' zegt mama.

'Ik kom zo,' zegt Mare haastig over haar schouder. En dan zegt ze nog eens tegen het meisje: 'Er was telefoon voor jou in het winkelcentrum. Maar ik kon jou niet vinden.'

De vrouw en het meisje kijken elkaar aan. Ze trekken hun wenkbrauwen op.

'Die oude mannen zeiden dat het niet kon, maar er was telefoon voor de paal,' legt Mare uit.

Mama staat achter haar. 'Sorry hoor,' zegt ze tegen de vrouw en het meisje. Ze trekt Mare mee. 'Kom je ijsje op eten, mallerd!'

'Wat was dat nou voor een verhaal?' vraagt papa nieuwsgierig.

'Er was telefoon voor dat meisje in het winkelcentrum,' legt Mare geduldig uit. 'Een meneer belde voor haar op naar die paal.'

Papa en mama staren Mare aan. Ze denken zo hard na dat ze vergeten verder te eten. Een poosje zeggen ze niets.

'Die telefoonpaal bij die vuilnisbakken?' vraagt Geerten.

Mare knikt.

'Dat is ráár,' zegt mama.

Papa schudt zijn hoofd. 'Dat kan niet,' zegt hij. Hij steekt zijn lepel terug in zijn sorbet en neemt een hap ijs.

'Ja,' zegt Mare kleintjes. 'Dat zeiden die oude meneren ook al.'

Al van je hela, hola...!

'Laat die gameboys nou even uit, het is nog niet eens goed licht buiten. Jullie verpesten je ogen zo!' zegt mama over haar schouder. 'Probeer nog een beetje te slapen. Het is nog héél ver naar Frankrijk!'

Papa rijdt de snelweg op. 'Ik ga via Zeeland,' zegt hij tegen mama. 'Er staat zeker-weten file op de ring van Antwerpen.' Hij draait de radio harder. Een vrouwenstem vertelt dat er ergens een vrachtwagen vol kippen is gekanteld.

'Tok tok tóóók!' doet Sil. 'Haha, dan staan al die auto's in de rij, en de motoragenten moeten die kippen vangen!'

'Kom hier, Veertje. Kom hier, Witje!' Mare lacht.

'Nee, kom hier, dikke rotkip!' proest Geerten. 'SHIT! Nou ben ik dood. Nou heb ik geen record-score, man!'

'O nee, hè!' zegt mama. Ze zegt het raar. Sil, Geerten en Mare kijken op. Sinds wanneer vindt mama het erg als Geerten geen record-score heeft?

Mama legt haar hand op papa's arm. 'Ik, eh... de kip,' stamelt ze.

Papa kijkt opgewekt opzij. Hij snapt het niet. Sil en Geerten snappen het ook niet. Maar Mare wel.

'Die lekkere gebraden kip voor vanavond?' vraagt ze.

Mama knikt. 'Hij ligt thuis nog in de koelkast.'

Papa rijdt gewoon door. Hij passeert een vrachtwagen en een benzinestation.

'Dan eten we hem wel op als we weer thuiskomen van vakantie, hè mama?' zegt Mare met een klein stemmetje.

'Dan is-ie groen van de schimmel,' zegt papa.

'O, wat jammer nou,' zegt mama zacht. 'Wat stom van me.'

'Nou, ik ga echt niet terug naar huis. Dan verliezen we een

uur tijd.' Papa kijkt spijtig. 'We eten vanavond wel stokbrood met eh... wat heb je nog meer bij je?'

'Een pot pindakaas.'

'Stokbrood met pindakaas,' helpt Geerten papa.

'Ja...' zegt papa mismoedig. Hij passeert een grote slingerende tankwagen, die scheef naar links helt.

Mama grijpt het handvat boven de deur. 'Pas op!'

'Ja mens, ik schrik me dood. Je gaat weer niet de hele tijd naast me zitten kermen, hoor! Ander rij je zelf maar!'

Mama geeft geen antwoord. Mare ziet dat haar nek rood wordt.

'Mogen we weer gameboyen?' vraagt Sil.

'Doe vooral wat je niet laten kan,' zegt mama, en ze haalt haar schouders op.

'Ik moet plassen,' meldt Geerten met een benauwd gezicht.

Mama kijkt om. 'O, nou, dan stoppen we zodra het kan.'

'Kon je daarnet niet gaan bij dat wegrestaurant? We zijn een kwartier geleden nog gestopt,' zegt papa geïrriteerd.

'Toen moest ik nog niet.'

'Ik moet nu ook,' zegt Mare.

'En ik ook,' zegt Sil. 'Dat komt omdat we daar thee gedronken hebben.'

Papa zegt niets meer. Ze kijken allemaal uit het autoraampje om te zien of er al ergens een bord langs de weg staat met een P erop.

Eindelijk komt er een parkeerplaats aan. Geerten legt zijn gameboy weg. 'Net op tijd,' zegt hij opgelucht.

Papa rijdt langzaam langs een lange rij volgepakte auto's met slaperige mensen eromheen die koffie drinken uit plastic bekertjes, tot hij een plekje vrij ziet. Sil, Geerten en Mare stappen uit.

Midden op de parkeerplaats staat een betonnen gebouwtje.

'Dat zullen de wc's wel zijn,' zegt mama. 'Wacht, ik loop met jullie mee.'

De deuren van de wc's zitten op slot. Er kan geen muntje in

en je kunt ook nergens een sleutel halen. Mama geeft een kwaaie schop tegen de deur. 'Belachelijk!' moppert ze.

'Mag ik tussen de bosjes plassen?' Geerten ziet wit om zijn neus. Hij houdt zijn hand tegen zijn broek geduwd. Mama kijkt om naar hem.

'Ach jongen! Ja, ga maar gauw!'

Mare en Sil hollen achter Geerten aan. Ze steken het grasveld over naar een kaalgelopen paadje in de verte dat tussen hoge brandnetels en struiken verdwijnt. Het is een echt poep- en piespaadje. Tussen natte dotten roze en wit toiletpapier ligt overal viezigheid. Grote groen-zwarte vliegen kruipen erover heen.

Geerten verdwijnt haastig achter een boom. Maar Mare blijft stilstaan en kijkt naar Sil. 'O, víés!' Ze huivert. 'Ik ga hier niet plassen hoor.'

'Ik ga hier tegen deze boom,' zegt Sil. 'Opgedonderd dus, jij!' Hij geeft Mare een duw.

Mare kijkt hem woedend aan voordat ze iets verder het paadje af loopt. Daar staat Geerten, die net zijn gulp dichtritst. 'Poe, dat was op het nippertje,' zegt hij en hij knipoogt met allebei zijn ogen naar Mare. 'Ben jij al geweest?'

'Ik durf niet,' jammert Mare. 'Het is overal heel vies.'

'Kom hier maar heen,' zegt Geerten. 'Hier ligt niks. Pas op dat je niet tegen die brandnetels aanloopt. Ik wacht wel bij je tot je klaar bent.'

Dat is lief van Geerten. Daar heeft Mare tenminste wat aan. Voorzichtig loopt ze naar hem toe. 'Niet kijken, hè? Anders kan ik het niet.'

Geerten gaat gehoorzaam met zijn rug naar
Mare toe staan. Mare laat haar korte broek
zakken en hurkt zo diep ze kan. Gras-
sprieten prikken in haar billen. Per
ongeluk plast ze een beetje in haar
sandaal. Haar voet wordt nat. Ze
staat net haar broekje weer op te halen als er een dikke man voorbijholt
met een rol wc-papier in zijn hand. Het
papier is losgegaan en wappert achter
hem als een wimpel. De man ziet hen niet
staan. Hij holt nog een stukje verder en laat daar zijn broek ra-
zendsnel zakken. Mare en Geerten zien zijn dikke
witte billen tussen de brandnetels. 'Prrrrrrruu.
Poehpoe prrrruuuh!'

Geerten proest het uit van het lachen.
'Hoor je die scheten!'

Sil komt eraan gelopen. 'Komen jullie
nog?'

Geerten wijst. 'Moet je zien!' fluistert hij.
Sil ziet de grote witte billen. 'Prrrrruuh!'
klinkt het weer.

'O!' Mare slaat haar handje voor
haar mond. Ze weet niet of het nu juist
grappig of vreselijk vies is.

'Jongens! Mare?'

Ze kijken om. Mama staat aan het begin van het paadje en
tuurt tussen de struiken. 'Schiet eens op! Zijn jullie klaar?'

De man hoort mama roepen. Hij kijkt om en ziet Mare, Sil en
Geerten staan. Zijn ogen glinsteren donker en boos in zijn gezicht, dat net zo bol en wit is als zijn billen.

'Prrrrruuuh!' doet Sil keihard. Dan draait hij zich om.
'Lopen!' En zo hard ze kunnen rennen ze naar mama toe.

Als ze in de auto zitten en papa wegrijdt, zien ze de man uit
de bosjes komen. Ze draaien zich alle drie om, helemaal, om
naar hem te kijken.

'Haha! Zijn gulp staat nog open!' fluistert Geerten tegen Sil.

'Wat zeg je, Geerten?' vraagt mama.

'Hij zei niks,' zegt Sil gauw. En hij kijkt dreigend naar Mare. Maar dat is niet nodig. Mare zit voorovergebogen haar sandalen uit te trekken en let helemaal niet op hem en Geerten.

Met de mobiele telefoon belt mama de buurvrouw die voor de poesjes zorgt.

'Ik ben mijn kip vergeten, hij staat nog in de koelkast.' Ze giechelt. 'Dus eten jullie die maar lekker op.'

'En een knuffeltje voor Brammetje en Molly!' roept Mare van de achterbank.

'Een knuffeltje van Mare voor de poezen en tot over veertien dagen,' zegt mama in de telefoon en dan verbreekt ze de verbinding.

'Wat zei ze?' vraagt papa.

'Ze moest natuurlijk lachen.'

Mama kijkt om naar de achterbank. 'Zitten jullie nog goed? Zullen we een liedje zingen?' Ze begint meteen. 'Al van je hela, hola, houd er de moed maar in!'

Papa zingt mee. Sil, Geerten en Mare ook. Als het lied is afgelopen, roept papa: 'Zien jullie dat bord? We zijn bijna in Frankrijk! Nog één kilometer!'

Sil leunt ineens helemaal voorover.

'Wat doe je nou?' vraagt Geerten.

'Niks,' zegt Sil.

'Waarom zit je zo gek?' moppert Mare. 'Je moet niet vóór me gaan zitten!'

'Vijf, vier, drie, twee, één...! Ja, we zijn er!' roept papa.

Sil gaat weer tegen de rugleuning zitten. 'Ik was het eerst in Frankrijk,' zegt hij triomfantelijk. En hij trekt een pesterig gezicht.

'Nee hoor, papa en mama waren er het eerst!' zegt Mare.

'Maar ik was er eerder dan jullie,' zegt Sil. 'Haha!'

Sil wordt wakker. O ja! Hij is in de auto. Ze zijn op weg naar een camping in Frankrijk.

Mama kijkt om. 'Hier, een snoepje,' zegt ze. 'Laat Geerten en Mare nog even slapen, Sil. We schieten net zo fijn op!'

Sil pakt het snoepje aan en begint te zuigen. Hij haalt zijn gameboy tevoorschijn. Van het gepiep wordt Geerten wakker. Hij krijgt ook een snoepje van mama. Maar hij laat het vallen, precies op de grond in Mares sandaal. Om het te pakken moet hij tegen Mare aanleunen. En dan wordt Mare ook wakker. 'Is het nog ver?' vraagt ze slaperig.

'We zijn al een heel eind op weg,' zegt papa opgewekt. 'Nog een uur of drie rijden, als we niet in een file terechtkomen.'

Maar ze komen wel in een file terecht. De auto staat stil. De zon brandt door het achterraam. Het duurt lang, lang en nog langer. Mama geeft koekjes en een pakje drinken. Ze spelen *Ik zie, ik zie, wat jij niet ziet*. Ze luisteren naar een meneer op de radio die Frans spreekt. Papa denkt dat hij het verstaat. 'Volgens mij zei hij: twintig kilometer file,' zegt hij somber tegen mama. Maar even later gaan de auto's toch weer rijden, al is het heel langzaam.

'Ik voel me niet lekker,' klaagt Sil tegen mama.

Mama draait zich om. Ze kijkt ongerust naar Sil. 'Je moet toch niet overgeven, hè Sil?'

Sil schudt zijn hoofd maar mama vertrouwt het niet. 'Zal ik je een plastic zak geven? Voor de zekerheid? Als je moet overgeven, dan moet je het daarin doen, hoor! Niet door de auto spugen zoals laatst. Denk erom, hoor.'

Papa zet de auto stil op een parkeerplaats. Mama geeft Sil een tabletje tegen reisziekte. Ze laat hem rondlopen en diep ademhalen. Papa, Mare en Geerten spelen intussen tikkertje in de schaduw van de bomen. Als ze hijgend terugkomen bij mama, zegt ze: 'Het gaat wel weer, geloof ik, hè Sil?'

Sil knikt. Hij wil de plastic zak die mama hem geeft niet aanpakken, maar mama duwt hem in zijn handen. 'Nee, bij je houden, Sil. Voor de zekerheid. Je weet hoe het moet, hè? Goed openhouden en je hoofd er helemaal boven houden.'

Na een uur rijden de auto's pas weer gewoon snel door en draait mama zich voor de vijftigste keer ongerust om naar Sil.

'Gaat het nog? Moeten we weer even ergens stoppen? Weet je zeker dat het nog gaat? In die zak spugen, hoor! Houd die zak goed op je schoot, knul.'

En dan, als iedereen slaperig naar buiten kijkt, maakt Sil ineens een raar geluid. Hij geeft over, met een harde straal.

In papa's nek. Op de stoelen, over Mare en Geerten. Over de bank en de kleurpotloden en de gameboys. Verschrikt schuiven Mare en Geerten zover mogelijk bij hem vandaan.

Mama draait zich met een ruk om. 'In de zák!' schreeuwt ze. 'SPUUG IN DE ZAK!'

Een zure, vreselijke stank walmt op in de auto. Sil kokhalst nog. Hij houdt de zak eindelijk onder zijn kin, maar er komt niets meer. Mare en Geerten kijken geschrokken naar papa en mama die ze nóóit eerder zoveel lelijke woorden achter elkaar hebben horen zeggen.

Mama schrééuwt tegen papa! 'Kijk vóór je! Zo krijgen we nog een ongeluk!'

Papa gaat bij een afslag van de grote weg af. Eerst moet hij nog een stuk doorrijden tot hij veilig de berm in kan. Daar zet hij de auto stil.

Geerten en Mare klimmen eruit, de zinderende hitte in. Mama sleurt Sil eruit aan de andere kant. Ze rammelt hem door elkaar. 'In die zák zei ik toch!' schreeuwt ze. 'Waarom luister je nóóit?!'

Papa loopt naar mama toe. Hij trekt haar van Sil weg. Sil kijkt angstig naar hem op.

'Moet je nog mccr overgeven?' vraagt papa.

Sil schudt zijn hoofd. Papa laat hem staan en kijkt in de auto. Mama kijkt ook, aan de andere kant. Alles zit onder het overgeefsel. De stank is verschrikkelijk.

'Geerten, geef de fles water eens aan,' zegt papa. Geerten pakt de half lege fles water uit de picknicktas. Papa begint water over de achterbank te schudden.

'Je maakt alles alleen maar drijfnat zo,' jammert mama. 'Laten we liever onszelf schoonmaken met dat water.'

'Fijn!' schreeuwt papa tegen haar. 'Dat jij het zo goed weet!'

Mare begint te huilen. Heel hard. Haar kleren zijn vies. Ze
stinkt. Haar gezicht en haar handen plakken. Ze moet er zelf
bijna van overgeven. Auto's rijden langs met een oorverdovend
kabaal, en het is zo héét. 'Jullie moeten geen ruziemaken!'
schreeuwt ze.

En dan begint Geerten ook te huilen. En Sil. En mama, met
haar handen voor haar gezicht.

Papa draait zich om. Hij pakt een koffielepeltje uit de pick-
nickkrat, draait zijn rug naar iedereen toe en begint er wanho-
pig mee door de viezigheid over de bekleding van de auto te
schrapen.

Het raadsel van de aardbeienjam

Sil, Geerten en Mare spelen in een prachtig zwembad. De lucht is strakblauw. De zon blikkert op het water en krekels tjirpen in het gras. Het is nog steeds zo heet dat de mensen alleen maar onder een boom of een parasol voor pampus kunnen liggen.

Nou ja, niet alle mensen. Halverwege een heuvel, bij de tent, is papa bezig met de auto. Hij heeft alle vier de deuren wijd openstaan. De vloermatten liggen in het gras en hij schrobt de bekleding van de banken met een rooie kop en veel, heel veel wit schuim.

Mama is ook bezig, daarboven. Ze spant een waslijn tussen twee bomen en hangt al het wasgoed eraan dat ze zonet beneden in het toiletgebouwtje heeft staan wassen. Ze bukt en rekt, bukt en rekt. Zo nu en dan staat ze even stil naar de bergen in de verte te kijken en veegt ze met haar arm het zweet van haar voorhoofd. Als ze klaar is, zet ze haar handen in haar zij en tuurt ze naar het zwembad.

Geerten steekt zijn hand op en zwaait. Mama wenkt.

'We mogen komen,' zegt Geerten.

Mare klimt al op de rand. Sil ook. Ze lopen met hun handdoeken om hun nek geslagen naar het pad dat de heuvel op leidt.

'Zo,' zegt mama als ze eraan komen. 'Zijn jullie lekker afgekoeld? Wat een prachtig zwembad, hè? Hang je doek maar over een stoel, en kom even helpen.'

Ze begint werkjes te verdelen. 'Sil, jij pompt de luchtbedden op. Ga daar maar in de schaduw onder die boom staan. Als je ze klaar hebt, leg je ze binnen in de slaapcabines. Geerten, jij haalt de slaapzakken tevoorschijn en die zakjes die eromheen zitten doe je in die tas daar. Als je dat klaar hebt, ga je Sil helpen. Mare, jij eh... jij...'

Sil en Geerten lopen weg naar de auto. De slaapspullen liggen daar in het gras.

'Ja? Wat moet ik doen?' vraagt Mare.

Mama kijkt Mare onderzoekend aan. 'Ik wil nu wel heel graag gaan douchen. Zou jij stokbroden kunnen kopen in het winkeltje?'

Mare knikt. Ze krijgt een kleur van blijdschap. Dat is pas een leuk werkje! Een boodschap doen, helemaal alleen, en in een winkel waar ze nog nooit is geweest. In Frankrijk nog wel!

'Mooi zo. Trek dan wel even een T-shirtje aan, en je slippers,' zegt mama.

Mare staat al helemaal klaar als mama geld en een plastic tas heeft gepakt. Ze heeft zelfs haar natte haren gekamd.

'Keurig!' Mama bukt zich om haar een kus te geven en blijft even op haar hurken bij haar zitten.

'We willen twee stokbroden,' zegt ze. 'Kijk, dan doe je zo.' Ze steekt twee vingers in de lucht. 'En dan wijs je naar de stokbroden. In het Frans heten ze "baguettes".'

'En hoe zeg je twee?' vraagt Mare.

'Deux,' zegt mama. 'Deux baguettes.'

'Deu bakettus,' herhaalt Mare.

'En een pot jam,' zegt mama. 'Kijk maar goed op het etiket, je weet wel, het plaatje. Aarbeien of kersen of zo. Ik denk dat je een mandje kunt meenemen bij de ingang en dan kun je de jam zelf pakken. En een kuipje margarine. Maar als je dat niet kan vinden, schat, is het niet erg hoor. Nou, en als je verder nog iets lekkers ziet voor bij het avondeten en je kunt het nog dragen...' Mama lacht omdat ze natuurlijk maar een grapje maakt.

Mare haalt diep adem. 'Deu bookettus,' zegt ze.

Mama gaat staan en kijkt zoekend langs de tent. 'Eh... misschien moet Geerten toch maar met je meegaan.'

'Nee! Geerten hoeft niet mee! Ik kan het alléén! Je zei dat ik alléén mocht! Deu biekottes! Ik kan het wél! Deu boekottes...'

Mama schrikt ervan. 'Nou, ik dacht dat het misschien toch een beetje moeilijk was...'

'Néé, het is niet moeilijk!' Mare schudt haar hoofd zo hard dat haar natte haren rondzwiepen.

Mama geeft Mare de tas. 'Niet rondzwaaien ermee, anders valt het portemonneetje eruit. Ik heb alleen maar een briefje van twintig euro en dat is heel veel geld, dus let goed op! Kijk, zie je daar het toiletgebouw?' Ze wijst in de verte. 'Daar moet je langslopen. En dan langs die oranje tent daar. En dan moet je een soort tunneltje onderdoor en nog verder rechtdoor, daar is de winkel.'

Mare loopt langs het toiletgebouw en langs de oranje tent, onder het tunneltje door en nog verder rechtuit. Ze houdt de tas goed vast zodat een dief mama's geld niet kan pikken en het portemonneetje ook niet vanzelf op de grond kan vallen.

Ze let op de weg maar ze kijkt ook naar de mensen bij de tenten. Ze ruikt etensluchtjes en ze hoort vreemde talen. Bij een paar kleine ronde tentjes zitten Japanse mensen met gekruiste benen op een mat op het gras. Op een laag tafeltje tussen hen in staan wel twaalf kommetjes. De Japanse mensen pakken er hapjes uit, heel keurig, met stokjes.

Mare vergeet haar boodschap. Ze staat stil en staart, met haar mond een stukje open. Pas als de Japanse mensen ineens allemaal naar haar omkijken, schrikt ze op en loopt ze op een drafje verder.

'Doe bookettus,' oefent ze zachtjes voor zich uit. 'Doe boo-kettus.' En ze weet nog iets in het Frans. Nog van vorig jaar. 'Bonjour en merci.' Ze weet ook wat het betekent. Bonjour betekent goeiedag, en merci betekent dankjewel.

Een paar jongens die een voetbal hard voor zich uit trappen, rennen schreeuwend vlak langs Mare heen. Verschrikt doet ze een paar stapjes opzij, het pad af. Een man met een enorm dikke buik zit daar in de zon voor zijn tent te zweten. Hij knipoogt naar haar en zegt iets wat ze niet verstaat. Daar schrikt ze nog meer van! Ze stapt gauw het pad weer op en holt hard weg.

Gelukkig, aan het eind van het pad ziet ze frisdrankvlaggen wapperen aan een gebouwtje. Daar is de winkel!

Er hangen zomerspulletjes naast de deur van de winkel. Zwembanden en badpakken, badmintonrackets, plastic ballen en zonnepetjes. Het ziet er vrolijk uit. Mare ruikt vers brood en nog iets... O, daar! Kippen!

In een gril met een glazen deur, zo groot als thuis de kast voor haar kleren, draaien bruine, sappige kippen rond. Het vet druipt eraf. Ze zien er kruidig en knapperig uit. O, en mama heeft hun eigen Nederlandse kip thuis in de koelkast laten liggen! Als ze dit eens wist!

Mare haalt diep adem. Ze likt langs haar lippen. Die arme papa is nog steeds bezig met het schoonmaken van de auto. Wat zal hij blij zijn als hij geen stokbrood met pindakaas hoeft te eten. Wat zullen ze opkijken als ze toch nog kip krijgen! En mama zei zelf: 'Als je verder nog iets ziet voor het avondeten...'

Mare stapt de winkel binnen. Ze moet helemaal rondlopen om bij de kassa te komen. Halverwege ziet ze potten jam staan. O ja! Ze kiest een pot met aardbeien op het etiket.

En nu nog brood en kip.

Ze gaat bij de kassa achter een rijtje wachtende mensen staan, naast een grote koeling waarin kuipjes margarine en stukken kaas liggen. Margarine! Net zulke als thuis in Nederland, dat ziet Mare aan het plaatje.

Mare holt uit het rijtje weg, terug naar de ingang. Daar staat een toren van plastic winkelmandjes. Ze zet de pot jam op de grond, sjort het bovenste mandje los, rent ermee terug naar de kassa en zet er een kuipje margarine in.

Er staan ook bekertjes yoghurt in de koeling. Die zijn lekker voor toe, na de kip! O, wat zullen ze opkijken! Mare kiest yoghurt die ze thuis nooit krijgen. Yoghurt met een plaatje van kiwi en ananas erop. Haar mandje weegt meteen zwaar.

En dan is ze ineens aan de beurt. De man achter de kassa kijkt haar vragend aan.

'Eh...' O ja. 'Twee boeketjes!' zegt ze luid.

De man kijkt alsof hij diep nadenkt.

'Twee boeketjes!' roept Mare nog maar eens. Wat een vervelende man! Hij spreekt geen Nederlands en ook al geen Fráns! Gelukkig ziet ze achter hem een grote mand vol stokbroden. Ze wijst en steekt twee vingers in de lucht, net zoals mama zonet.

'Ah, deux baguettes!' zegt de man. En hij wikkelt een stukje papier om twee stokbroden heen.

'Dat zei ik toch!' moppert Mare. Ze tilt haar mandje op de toonbank. De man wijst naar haar tas. Dat is wel weer aardig van hem. Hij zet al Mares boodschappen er netjes voor haar in. De stokbroden laat hij ernaast glijden. Dan houdt hij zijn hand op voor geld.

Maar Mare is nog niet klaar. 'Ik moet ook nog een kip!' roept ze.

De man zucht. Hij haalt zijn schouders op en houdt haar zijn hand weer voor. Achter Mare staat alweer een rijtje mensen. Mare kijkt om. 'Een kip?' zegt ze hoopvol.

'Kiep? Kiep?' herhalen de mensen vragend. Ze begrijpen haar niet. Ze fronsen en zuchten en schudden met hun hoofd.

Mare gaat niet weg zonder kip. O nee! Ze wappert met haar armen alsof het vleugels zijn. 'Toktok, tok tóóóook!'

De mensen in de rij schieten in de lach. De man ook. Hij zegt iets tegen Mare in het Frans. Hij pakt een zak en loopt naar buiten. Mare draaft achter hem aan. De man trekt de deur van de gril open. Hete lucht slaat in Mares gezicht. Ze doet snel een stapje achteruit. O, daar bovenin, daar draait een hele dikke, een lekkere bruine...

'Die!' wijst Mare.

De man haalt de kip los van de spies en laat hem in de zak glijden. En dan moet Mare weer mee naar binnen. Ze geeft hem haar portemonneetje. De man haalt het briefje van twintig euro eruit, doet er wat wisselgeld in en steekt hem terug in de plastic tas. De kip doet hij in een apart plastic tasje, want de yoghurt en de margarine mogen natuurlijk niet warm worden.

'Merci!' zegt Mare. En: 'Bonjour.'

'Bonjour!' zeggen alle mensen in de rij. Ze wuiven en lachen.

Mare rent de hele weg terug. De man met de dikke buik zit nog steeds in de zon, maar de Japanse mensen zijn klaar met eten en aan het opruimen. Papa is met mama de tafel aan het dekken. Ze zien er fris en koel uit, met natte, schone haren. Sil en Geerten zijn bezig het laatste luchtbed op te pompen en een koel briesje komt over de bergen naar de tent gewaaid.

'Mama!' roept Mare.

Mama kijkt op. 'Kindje! Wat heb je allemaal gekocht?' Ze holt naar Mare en pakt de tassen van haar aan.

'Héél lekker avondeten!' Mare is buiten adem en zo trots dat ze er bijna een beetje van moet huilen. 'Kijk maar!'

Mama neemt de tassen mee naar de tafel. Papa, Sil en Geerten komen kijken. Mama haalt alle verrassingen langzaam tevoorschijn. De zak met de grote, bruine, knapperige kip. De stokbroden. De margarine, de bekertjes yoghurt en het portemonneetje.

'Zó!' schreeuwen Sil en Geerten. 'Dit is de grootste kip van de hele wereld.'

Mama zegt: 'Hmmm! Yoghurt met kiwi en ananas!'

Papa trekt Mare op schoot en knuffelt haar. 'En ik dacht nog wel dat ik stokbrood met pindakaas en jam moest eten!' roept hij.

Mare veert overeind. Jam! Ze had toch jam gekocht? Jam met aardbeien op het etiket!

'Ik heb ook jam gekocht,' zegt ze met een klein stemmetje. 'Aardbeienjam.'

Mama kijkt nog eens in de tassen. 'Hier zit echt niets meer in,' zegt ze.

'Ik weet het zeker,' zegt Mare peinzend. 'Hoe kan dat nou?'

'Geeft niks, meisje. Morgen gaan we weer boodschappen doen. We hebben nu die heerlijke kip!' zegt mama troostend.

De kip is verrukkelijk. Het stokbrood is knapperig. Het wasgoed wappert aan de lijn en de warme wind waait de auto
droog. De bedden zijn opgemaakt en alles staat op zijn plaats.
Papa, mama en Sil kunnen weer lachen.

'Na het eten gaan we een stuk wandelen,' zegt papa.

'Over de camping?' vraagt Mare.

'Ja. Eens kijken waar we nu precies terecht zijn gekomen.'

'De omgeving verkennen,' zegt Geerten met zijn mond vol.

'Misschien is hier ook ergens een voetbalveldje,' zegt Sil.

Mama veegt net haar vette mond af met een stukje keuken-
rol, maar ze knikt dat ze er wel zin in heeft.

'Misschien komen we dan die dief met mijn pot jam wel tegen,' zegt Mare.

'Hoe weet je nou dat er een dief was?' roept Geerten.

'Ja!' Sil lacht Mare uit. 'Die pot is natuurlijk gewoon uit de
tas gevallen!'

'Niet!' snauwt Mare. 'Want dan was die pot gebroken en dat
had ik heus wel gehoord! Dáárom weet ik dat het een dief was!
Want eerst had ik die pot nog en toen was hij ineens weg!'

'Nou ja, Mare, er kan van alles gebeurd zijn met die jam,'
doet papa geheimzinnig. 'De pot kan in het gras zijn gevallen.
Dat hoor je niet. Misschien rolde hij toen wel helemaal de berg
af. Of iemand vond hem en die zit nu dan stokbrood met jam te
eten. Of hij rolde onder een struik en het deksel ging eraf en
dan komt er vanavond een vosje die hem leeg likt. We zullen
nooit te weten komen wat er is gebeurd. Het is een raadsel.'

Geerten heeft met grote ogen naar papa zitten luisteren.
'Het raadsel van de aardbeienjam!' zegt hij.

Maar Mare vindt dat papa maar kinderachtig zit te kletsen.
'Helemaal geen raadsel!' snibt ze. 'Die jam is gewoon gestolen
door een dief. Ik weet het zeker!'

Vertrouwen

Sil en Geerten sluipen bij de tent weg, de heuvel af naar beneden. Het is nog vroeg, toch is het al warm buiten. Ze hebben hun zwembroek aan en verder niks. Papa en mama slapen nog, en Mare ook. Het is stil op de camping.

In het toiletgebouw zien ze een vrouw met een toilettas de douches binnengaan en in de herenwc's komt een geeuwende man binnen. Verder komen ze niemand tegen.

Geerten wacht bij de deur tot Sil klaar is. 'Zullen we naar het meer gaan?' vraagt hij.

'Ja, goed.' Sil spettert wat met zijn handen onder de kraan en komt naar buiten. Ze lopen rustig langs tenten waarin mensen nog slapen. Hier en daar staat er een rits open en horen ze zacht praten. Ergens huilt een baby. In een klein tentje snurkt iemand keihard. Het lijkt wel alsof er een beer in dat tentje slaapt. Sil en Geerten kijken elkaar lachend aan.

Aan het eind van de camping is een ruig veld voor mensen die maar kort blijven. Er staat een groep groene tentjes in een cirkel opgesteld, met de ingang naar elkaar toe. In de cirkel zitten grote kinderen van een jaar of zestien. Ze maken een ontbijt. Iemand bakt eieren en spek, een ander zet theewater op en een man smeert een enorme stapel boterhammen.

Sil en Geerten staan stil om te kijken.

'Ik wil ook wel eens mee met zo'n kamp, als ik groot ben,' zegt Geerten.

'Ik weet het niet...' Sil aarzelt. 'De leiding is vast heel streng.'

'Je moet gewoon doen wat ze zeggen.' Geerten kijkt opzij naar Sil. Die haalt zijn schouders op. 'Ja...' zegt hij. 'Nou, ik ga liever met een vriend kamperen later, met Joep of zo. En dan met een rugzak. Dan mag je zelf weten wat je doet en waar je

heen wilt en hoe laat je naar bed gaat. En wat je eet.'

'Hier eten ze ook lekker,' zegt Geerten. Ze snuiven nog een keer de geur van eieren met spek op.

'Ik vraag of mama dat ook maakt als ze straks wakker is,' zegt Sil, als ze verder lopen.

'Ja, dan gaan wij naar de winkel om het te kopen,' zegt Geerten. 'Ik wil die grote gril met al die kippen nog een keertje zien!'

Gisteravond zijn ze na het eten met mama en papa langs de winkel naar het meer gewandeld. Ze weten het pad nog te vinden. Het loopt steil achter het ruige veld naar beneden en als je er te hard rent, sla je over de kop, net zoals Sil gisteren – bijna dan.

Ze lopen dus rustig en nu en dan glijden ze een stukje, als er losse steentjes liggen. Het pad komt uit op een grasveld dat overgaat in een zandstrandje.

Geerten kijkt uit over het wijde bergmeer. 'In Nederland hebben we geen groen water,' merkt hij op.

'Haha, wel als er kroos op ligt,' zegt Sil met een grijns.

'Maar dan is het wáter niet groen. Alleen die plantjes die erop liggen,' houdt Geerten vol.

'Het komt door de groene bergen dat het groen lijkt,' legt Sil uit. 'Water heeft geen kleur. Dat heeft de meester nog verteld voor de vakantie. Water weerspiegelt. De kleur van de lucht bijvoorbeeld. Als mensen naar Spanje zijn geweest zeggen ze ook altijd: de zee is daar blauw. Maar dat is niet zo. De lúcht is blauw, en daarom lijkt de zee ook blauw.'

Geerten loopt het zand op. Hij kijkt naar de grijze ochtend-lucht. Het water is écht groen. Waarom weerspiegelt de zee in Spanje de lúcht en dit meer in Frankrijk de bérgen? Trouwens, deze bergen zijn meer grijs dan groen... Hij hurkt aan de water-kant en steekt zijn handen in het water. 'Koud!'

Sil komt niet naar de waterkant. Hij loopt naar een grote, stijf opgepompte, zwarte binnenband van een tractor die een eindje verderop zomaar op het zand ligt. 'Moet je zien,' roept hij. 'Iemand heeft deze laten liggen.'

Geerten gaat naar Sil toe. Hij duwt tegen de band. Die is zo stijf opgeblazen dat hij bijna niet veert. 'Het is een goeie!' zegt hij. 'Als hier nou een duikplank was of zo, dan konden we door dat gat duiken.'

'Liever niet,' zegt Sil. 'Je zou je hele rug openhalen aan dat ventiel.'

'O ja.' Geerten ziet het nu zitten. 'Dat is wel een rotding, zeg.'

'Zullen we gaan zwemmen?' vraagt Sil.

Geerten hoort aan zijn stem dat hij bedoelt: mét de band. Hij kijkt om zich heen. Hij ziet niemand. 'Goed,' zegt hij.

Ze slepen de band door het zand naar het water en lopen de schuine kant af. Eventjes is het water ondiep; dan voelen ze plotseling geen grond meer onder hun voeten en is het adem-benemend koud. Geerten proest. Sil rilt maar hij doet net alsof hij het niet voelt. 'Net zo warm als het zwembad, man!' roept hij naar Geerten.

Om beurten geven ze de band een duw zodat hij vooruit dob-bert. Ze zwemmen en kijken naar de overkant van het water. Daar liggen bergwanden in de schaduw. Steen, grijs en ruw, met nu en dan wat begroeiing. Een roofvogel maakt zich los van een rotsblok en zweeft met een kreet boven hun hoofd.

'Een arend,' zegt Geerten.

'Ja?'

'Ik denk het. Papa zei dat hier arenden leven. Heb jij het nog niet koud?'

'Nee,' bibbert Sil.

'Ik... brrr, ik ook niet. Hoever gaan we?'

'We kunnen best nog verder. Als we die band bij ons houden.'

Ze duwen hem verder vooruit en zwemmen dóór, alsof ze ergens op tijd moeten zijn. Ze kijken niet om. Ze kijken naar de rotsen die langzaam maar zeker dichterbij komen. Pas als ze het gevoel hebben dat ze al heel ver hebben gezwommen, pakken ze de band vast en hijsen zich half uit het water om even uit te rusten. Als ze hun benen omhoog laten drijven is het water daar warmer dan in de diepte.

Ze kijken om.

'We zijn bijna halverwege.' Geerten speurt over het zand of hij papa of mama daar niet ziet staan. Hij weet zeker dat die kwaad zouden zijn als ze zagen dat Sil en hij zover zijn gegaan. Maar er is niemand op het strandje, en ook niemand op het grasveld erachter.

'Volgens mij zijn we al óver de helft,' zegt Sil. Zijn gezicht ziet blauwig van de kou en zijn handen ook. 'Kijk maar.'

Ze kijken heen en weer. Ze zijn alweer uitgerust. Ze laten zich zakken en beginnen te watertrappen terwijl ze de band blijven vasthouden.

'We kunnen net zo goed helemaal naar die rotsen zwemmen en daar even goed uitrusten voor we weer teruggaan. Er kan ons niks gebeuren want we hebben de band bij ons,' gaat Sil verder.

We kunnen kramp krijgen, denkt Geerten. Daar heeft papa al vaak voor gewaarschuwd en het water is erg koud. De band kan lek raken en leeglopen. Er kan gevaarlijke stroming zijn... Hij kijkt naar Sil. Ze kunnen allebei heel goed zwemmen. Ze hebben alle diploma's die er zijn, en ze hebben al een jaar zwemles bij de reddingsbrigade.

Ik kan Sil redden als hij niet meer kan, denkt Geerten.

Ik kan Geerten redden als hij niet meer kan, denkt Sil.

Ze kijken weer naar de rotsen. 'Ik haal het wel,' zegt Geerten.

Sil haalt zijn neus op. 'Ik kan het ook. Ik wéét het.'

Ze duwen de band vooruit, en zwemmen weer, precies zoals op de lessen van de reddingsbrigade. Met sterke ferme slagen –

goed uitslaan, goed sluiten. Hun gezichten staan strak van ernst.

Nu en dan kijken ze om, of papa of mama daar soms staat op dat strookje zand, dat steeds kleiner wordt. De rotsen komen dichterbij en na een poos zien ze dat ze er niet op kunnen klimmen. Er zijn scherpe punten en er is geen strandje of zoiets. Er is wel een groot rotsblok dat iets voor de kant uit het water steekt.

Geerten knikt met zijn hoofd. 'Daar kunnen we op uitrusten.'

Ze zwemmen ernaartoe. Sil schuift de band erop. Geerten duwt zichzelf op en ploft met een halve draai op de rots. Hijgend klimt Sil naast hem.

Huiverend leunen ze tegen elkaar aan en kijken ze om zich heen. Deze rotsige kant van het meer is verlaten als in het begin van de aarde. Alleen heel hoog boven hun hoofden cirkelt, nu en dan schril schreeuwend, de arend. Het klotsende koude water lijkt in de donkere schaduw van de rotsen niet groen, maar zwart, en peilloos diep.

Niemand weet dat ze hier zijn.

Papa en mama weten het niet. Sil of Geerten zou kunnen verdrinken en ze zouden het niet weten. Ze zijn misschien net wakker en denken dat Sil en Geerten zijn gaan voetballen op het veldje waar ze gisteravond voorbijkwamen. Ze gaan ervan uit dat Sil en Geerten niet in

zeven sloten tegelijk lopen. Ze denken dat Geerten op Sil past. Ze denken: we moeten die jongens kunnen vertrouwen.

Sil pakt Geerten vast aan zijn arm. 'We zeggen het niet tegen papa en mama, want dan worden ze kwaad. Maar ik weet gewoon dat ik het kan en ik weet dat we ook terug kunnen zwemmen. Wij kunnen echt heel goed zwemmen.'

'Ik weet ook dat ik het kan,' zegt Geerten. 'Maar het is wél gevaarlijk. We kunnen kramp krijgen en de band kan lek gaan. Er kan ergens een gevaarlijke stroming zijn die wij niet zien. '

Sil huivert en slaat zijn armen om zichzelf heen.

Geerten zegt een poosje niks. Ze rusten uit. Dan zegt hij ineens peinzend: 'We kunnen het zelfs zonder band. We hebben die band niet echt nodig.'

'Nee, maar het is wel verstandig, voor de zekerheid.'

'Zullen we teruggaan?'

Sil knikt. Ze laten zich weer in het water glijden en beginnen te zwemmen. Ze houden hun blik gericht op het strookje zand. Ze zeggen niets meer.

De terugweg lijkt langer dan de heenweg. Het strandje komt langzaam, heel langzaam dichterbij. Ze zwemmen en kijken, zwemmen en kijken tot ze er zijn.

Ze krabbelen tegen de kant het zand op en trekken de band mee. Dan, op hun knieën in het zand, kijken ze om. De rotsen lijken ver, onbereikbaar ver weg. Ze moeten turen om het rotsblok waar ze op hebben gezeten onder aan de enorme rotswand te zien.

'Zo! Moet je zien waar we zijn geweest!' Sil bibbert vreselijk.

Geerten pakt hem beet. 'Kom in de zon liggen. Daar op die stenen, die zijn vast al heet.'

Ze liggen en kijken naar de lucht. Langzaam worden ze warm. Met een beetje geluk zijn ze weer helemaal warm als Mare hen komt zoeken voor het ontbijt.

'Ik wist dat ik het kon,' zegt Sil.

'Ik ook,' zegt Geerten. 'Ik wist dat we het zouden overleven.'

Hieperdepiep...

Het is de tweede week van de vakantie. Mare is wakker. Ze kijkt omhoog in de oranje gloed die de slaapcabine binnendringt. Dat is de zon die op de tent schijnt. Het is dus al ochtend. Maar ze hoort nog nergens geluid. Geen ritsen die worden opengetrokken, geen ketels die op het gas worden gezet, geen gerinkel van bestek en geen gedempte stemmen.

Naast haar ligt Geerten. Boven op zijn slaapzak. Geerten heeft het altijd warm. Sil ligt in zijn eigen slaapcabine, bij de tassen. Mare kan door het dunne doek heen aan zijn adem horen dat hij slaapt. Ook bij papa en mama is het nog stil.

Ik ben jarig! weet Mare ineens. Ze slaat haar handen voor haar mond maar ze maakt geen geluid. IK BEN JARIG!

Ze is jarig en nog niemand weet het, want iedereen slaapt nog. Ze is zés! Zes is veel meer dan vijf! Zes is leren lezen en rekenen en naar groep drie! Zes is langer opblijven en... blllúúh – zes spruitjes moeten eten in plaats van vijf. Dat is weer minder leuk.

Mare blijft stil liggen. Ze speelt een kind om wie niemand geeft. Ze kijkt in het oranje licht en denkt: Niemand weet dat ik jarig ben. Ze slapen allemaal. Het kan ze niks schelen. Ik krijg geen partijtje en geen cadeautjes en niemand feliciteert me. Ik mag vandaag niet naar school, want ik ben in de vakantie jarig. Zelfs de juf en mijn klas weten niet dat ik jarig ben en ze kunnen niet voor me zingen, want ik ben helemaal in Frankrijk. En mijn beste vriendinnetjes Wies en Pien kunnen geen stukje taart komen eten, en oma en opa niet, en mevrouw en meneer Bloem niet...'

Het is allemaal heel droevig. Maar het lukt Mare toch niet om tranen uit haar ogen te persen. Ze gaat overeind zitten en kruipt langs Geerten naar de rits van de slaapcabine. Heel zacht trekt ze hem open en kijkt de tent in.

Er hangen vlaggetjes in de tent. Natuurlijk zijn papa en mama haar verjaardag niet vergeten, ook al deden ze gisteravond net alsof, om haar te plagen. Mare ziet zelfs vlaggetjes buiten tussen de bomen hangen.

Ze stapt de tent in en trekt haar jurkje aan dat daar over een stoel hangt. Dan maakt ze heel zacht de rits van de tent een klein stukje open. Net ver genoeg zodat ze eronderdoor kan kruipen, naar buiten.

Er hangt mist om de bergen. De zon is nog waterig maar hij schijnt precies tussen twee bomen door op de tent, zodat Mare het oranje licht kon zien. Dat was het verjaarscadeautje van de zon.

'Zes!' zegt Mare zacht tegen de zon. En: 'Zes!' zegt ze tegen de bergen. Ze draait rond. 'Ik ben zes, bomen! Ik ben zes, tenten! Ik ben zes, mensen! Ik ben jarig!'

Ze fluistert het. Ze draait rond en rond tot ze er dronken van is. 'Zes zes zes!'

Mare zit op een heel grote steen die op een dag, ooit, lang geleden, van de bergen af naar beneden gerold moet zijn. Ze kijkt om zich heen. Het duurt vandaag vreselijk lang voordat er mensen wakker worden, voordat papa en mama en Sil en Geerten wakker worden. De zon staat nu toch al hoger en het wordt steeds warmer. Zijn er dan alleen maar suffe slaapkoppen op de camping? Of wacht...

Mare staat op van de steen.

Daar in die groene tent, daar slaapt een baby. Dat weet iedereen, want die baby huilt veel en vaak en heel erg hard. Dat is niet leuk, maar papa en mama zeggen dat die mensen er niets aan kunnen doen. Baby's huilen nou eenmaal omdat ze nog niet kunnen praten. En uitgerekend op Mares verjaardag sláápt de baby!

Mare loopt tot vlak achter de groene tent. Als ze nou eens... 'Uche uche uche!' hoest ze. 'Uche uche!' Ze holt terug naar de steen en gaat weer zitten. Ze hoort nog niets. Misschien hoestte ze een beetje te zacht. Of wacht! Hoorde ze daar nou toch een babygeluidje?

Mare houdt haar adem in – maar nee, het blijft stil. Hoe is het mogelijk! Anders krijst die baby iedere ochtend!

Mare sluipt terug naar de groene tent. Ze kijkt goed om zich heen of niemand haar ziet. Maar alle tenten liggen vol suffe slaapkoppen. Er loopt zelfs niemand voorbij naar de wc's.

'Háátsjie!' roept Mare keihard. 'Há-há-hátsjie!' Ze rent weg. Ze durft niet meer op de steen te gaan zitten. Ze gaat achter een boom zitten, op haar hurken, en gluurt eromheen.

Nu klinken er geluiden in de tent en daar is de baby: 'Wèèh!'

Mare hoort papa's stem slaperig in de tent. 'O, nee hè!' Ze weet wat hij nu doet. Hij legt het kussen op zijn hoofd en probeert verder te slapen. Maar nu zal Sil ook wel wakker zijn...

Ah, ze hoort hem al fluisteren: 'Mama? Mama? Ben je al wakker? Ik heb honger. Zal ik naar de winkel gaan om brood te halen? Mama?'

'WÈÈÈÈH!'

O, wat kan die baby hard blèren! Mare wrijft in haar handjes van plezier. In de tenten om haar heen beginnen overal slaperige mensen tegen elkaar te mompelen. Hier en daar gaat een rits open en komt iemand in zijn pyjama of gewoon in zijn onderbroek naar buiten om nog een beetje wankel naar het toiletgebouw te lopen.

Mare hoort mama's stem. 'O, Mare is jarig. Joh, wakker worden. Mare is jarig.'

En papa: 'Is ze al wakker?'

Mare knijpt haar lippen op elkaar om niet te roepen: Ik ben hier!

Ze giebelt heel zachtjes in zichzelf. Haha, die papa en mama!

'Mare?' fluistert mama. 'Mare, ben je al wakker?'

En dan zegt Geerten: 'Ze is hier niet.'

'Is ze er niet?!'

Mare kan zich niet meer inhouden. Ze springt naar de tent, rukt de rits helemaal open en stort zich in de slaapcabine tussen papa en mama in. 'Hier ben ik! Ik was al wakker en ik heb de vlaggetjes al gezien! En nou ben ik ZES ZES ZES!'

Iedereen doet zijn best op Mares verjaardag. Sil en Geerten hollen weg om een grote zak croissantjes en een nieuwe pot jam te gaan kopen in de winkel. Papa dekt de tafel buiten. Mama ruimt de tent op en zet water op het gas voor thee. Ze kookt ook eitjes, want dat doet ze altijd voor een verjaarsontbijt.

'Kom eens hier, jarige Job,' zegt ze tegen Mare. 'Dan zal ik je haar netjes vlechten.'

Ze knuffelt Mare en Mare kruipt tegen haar aan. 'Moet ik echt zes spruitjes eten nu ik zes ben?' vraagt ze.

'Ja.' Mama grijnst. 'Dat moet. Dat hoort erbij.'

Mare zucht. Ze blijft stilstaan terwijl mama haar haren kamt en vlecht. In de verte ziet ze Sil en Geerten alweer komen met een volle tas.

'Hebben jullie aardbeienjam gekocht?' roept ze.

'Ssssst,' vermaand mama haar. 'Je schreeuwt de hele camping wakker.'

'Nou, iedereen is toch al wakker.' Mare haalt haar schouders op.

Geerten komt hijgend boven. 'Ja, aardbeienjam,' zegt hij. 'Want dat is jouw lievelingsjam en jij bent jarig.'

Tijdens het ontbijt bellen opa en oma op mama's mobieltje. Opa vraagt: 'Eh, hoe oud was je nou ook weer? Vijf toch?'

'Nee, zés!' zegt Mare verontwaardigd in de telefoon. Opa lacht hard. Als Mare dat hoort kan ze ook een beetje lachen. Ze wil 'pestkop' zeggen tegen opa, maar dat vindt hij vast niet netjes want hij is al oud. Ze denkt even na en zegt dan: 'Plaaggeest!' Ze kijkt wel even naar papa en mama maar die lachen nog steeds, dus dat mag ze wel zeggen.

En Wies en Pien bellen! 'Hieperdepiep...' roept Wies. En Pien roept: 'Hoera!' En dan roepen ze allebei tegelijk: 'Gefeliciteerd!' En: 'Wat heb je gehad?'

'Hele mooie haarspeldjes en oranje elastiekjes, ik heb ze nu in mijn haar! Ze zaten in een toilettasje met gekleurde stippeltjes erop!' roept Mare. 'En zo'n knutseldoos om armbandjes en oorbellen te maken. En een pim-pam-pet spelletje en kleurpotloden. En een sprookjesboek. Enne... o ja, hele mooie gele gymschoenen! Als de school weer begint, dan geef ik mijn partijtje, maar ik weet nog niet wat we gaan doen. Misschien gaan we met zijn allen naar het strand en dan spelletjes doen!'

Na het ontbijt stappen ze in de auto. De stinkauto die misselijkmakend ruikt naar zuur overgeefsel, ook al heeft papa hem eindeloos geboend en geschrobd met liters schoonmaakspul met citroengeur. Mare knijpt haar neus dicht en kijkt naar Sil alsof ze hem vies vindt. 'Bah, het stinkt hier!' zegt ze nadrukke-lijk.

Sil wordt rood. Hij kijkt naar zijn zusje met haar nieuwe speldjes en elastiekjes in haar vlechtjes. Zoals ze daar naast hem zit en naar hem kijkt. Hij voelt woede in zich omhoog gol-ven. Ze moet niet denken dat ze maar alles mag omdat ze toe-vallig jarig is. 'Lelijk kreng!' fluistert hij.

'Mama! Sil zit te schelden,' klikt Mare meteen.

'Nou Sil! En dat op Mares verjaardag!' zegt mama verwijtend.

In een mooi dorp drinken papa en mama grote kommen koffie op een terrasje in de schaduw van hoge bomen. Sil, Geerten en Mare krijgen orangina, dat op sinas lijkt, en een stuk taart want dat hoort erbij op een verjaardag. Als alles op is, slente-ren ze door het dorpje. Mama wil winkeltjes kijken. Papa, Sil en Geerten hebben daar geen zin in.

'Het is heet, ik wil naar het zwembad op de camping,' zegt Sil nukkig.

'Ach joh, je kunt de hele middag nog in het zwembad liggen,' zegt mama. 'Ik zie daar in de verte een park en volgens mij staan daar schommels in de schaduw. Als jullie daar nou eens heen lopen, dan kom ik over een kwartiertje.'

Mama had het goed gezien. Er is zelfs een hele speeltuin. Pa-pa gaat op een bank zitten en Mare rent met Geerten naar een wip. Sil loopt een stuk weg, schoppend in het grind, alsof hij al te groot is voor een speeltuin.

Als mama komt, heeft ze een lange slinger van wel tien ge-kleurde zakjes bij zich.

'Wat zit daar in?' vraagt Geerten.

'Lavendel,' zegt mama. 'Dat zijn bloemetjes. Ruik maar.'

Geerten snuift aan een zakje. De geur prikt in zijn neus. Hij moet er van niezen.

Mare komt er aan gerend. 'Voor in de auto,' legt mama uit. Ze laat Mare ook ruiken. 'Goed zo, mama. Dan ruiken we die vieze zure spuuglucht niet meer!' zegt Mare zo hard en na-drukkelijk dat Sil, die aan komt geslenterd, het wel horen moet. Hij klemt zijn tanden op elkaar. Mama loopt naar hem toe en slaat een arm om hem heen.

'Waar was jij nou?'

'Daar...' Sil wijst. Hij schopt weer in het grind. Zal hij het vertellen of niet? Het liefst zou hij zwijgen en net doen alsof die stomme Mare en haar stomme verjaardag niks met hem te maken hebben. Maar het is té leuk, en als hij niks zegt gaan ze er niet naartoe...

49

'Er is daar een hele coole minigolf,' zegt hij.

Papa en mama kijken elkaar aan. 'Echt?' Ze staan op en pakken de tas en de lavendelzakjes. 'Dat is nog eens leuk om te doen op een verjaardag!' zegt mama. 'Wat goed van jou dat jij die hebt gevonden, Sil!'

Sil klaart op. 'Er zitten hele moeilijke bij!' zegt hij. 'En er is bijna niemand, dus dan hoef je ook niet de hele tijd op je beurt te wachten.'

Papa loopt met Geerten voorop. Hij draagt Mare op zijn nek en zingt: 'Al van je hela, hola...' Hij heeft gewonnen met minigolf. Geerten was tweede, Mare derde, en Sil en mama deelden de vierde plaats. Mama heeft Sils hand gepakt. Dat mag hier wel in Frankrijk. Hij kent hier toch niemand. Als ze terug zijn bij de winkeltjes, staat Sil ineens stil.

'Mama?'

Mama blijft staan. 'Wat is er, schat?'

Sil kijkt naar papa. Die loopt al verder met Geerten en Mare. 'Mag ik deo?'

'Wat?' Mama begrijpt het niet. Ze buigt zich naar Sil toe.

'Deodorant.'

'Deodorant?'

Sil knikt. Mama staart hem aan. 'Weet je wel wat deodorant is? Dat is dat spul voor onder je oksels, tegen het zweten.'

'Doe effe normáál, mama! Natúúrlijk weet ik dat!'

'Maar Sil, wat moet jij daar nou mee?'

'Alle jongens op de voetbal gebruiken het na het douchen. En alle jongens in groep zeven nemen het mee naar gym. En ik gá naar groep zeven.'

'Nou ja zeg!' ontploft mama. 'Wat een flauwe-kul!'

Sil laat zijn hoofd hangen. Zijn hand verslapt en wil uit die van mama glijden.

'Maar... Maar je ruikt toch nog helemaal niet naar zweet, schat?'

Sil tilt zijn arm op. Hij ruikt onder zijn oksel. 'Wel. Ik stink onwijs.'

Mama bukt zich en snuift onder Sils oksel. 'Wel-nee! Je ruikt lekker naar Sil!'

Sil grijnst. Papa, Geerten en Mare zijn om een bocht in de straat verdwenen. Mama trekt hem tegen zich aan en kust hem op zijn haar en zijn oor. 'Belachelijk,' mompelt ze. Dan gaat ze weer recht-op staan.

Sil maakt zich uit haar armen los en kijkt naar haar op. 'Mag het nou? Moe-kie?'

De man en de vrouw uit de groene tent lopen langs met de blèrbaby in een wagentje. Het zijn Nederlanders.

'Kijk nou eens, vlaggetjes bij de tent! Wie is hier jarig?' vraagt de vrouw.

'Ik!' roept Mare.

'Eens raden, hoeveel jaar ben jij geworden?' De vrouw knijpt haar ogen een beetje dicht alsof het heel moeilijk is om Mares leeftijd te raden.

'Vijf!' zegt Sil. 'Ze is vijf geworden.'

'ZES!' gilt Mare. 'Stomme Sil, met een vieze vette kikker in je vieze vette bil!'

De man en de vrouw kijken elkaar aan en dan kijken ze naar hun baby. Sil kan zien dat ze denken: Help, wordt die van ons later ook zo?

Papa en mama waren aan het badmintonnen. Ze komen aan-lopen. 'Mare, hou je grote mond!' snauwt mama. Ze begint een gesprek met de man en de vrouw. Papa komt er ook bij staan. Geerten en Mare nemen de badmintonrackets over en lopen ermee de heuvel af.

Dit is een goed moment. Eindelijk let er niemand op hem.

Sil sluipt weg, de tent in. In zijn slaapcabine staat zijn spuitbusje deodorant. Hij heeft lekkere uitgekozen. Als je die gebruikt komen er van alle kanten vrouwen op je af, als je de reclame tenminste moet geloven. Hij glipt de tent weer uit en loopt achter een paar struiken door naar de auto die nu vol lavendelzakjes ligt. De ramen staan open. Die staan zo vaak mogelijk open, voor zoveel mogelijk frisse lucht.

Sil maakt de autodeur open. Hij kijkt waar het spuitgaatje van zijn deobusje zit, houdt het boven de stoelen en duwt op de bovenkant. Een fijne nevel sprietst eruit. Het ruikt heerlijk, vindt Sil.

Hij spuit ook op de achterbank. En op de vloerkleedjes. Hij gaat door tot het busje bijna leeg is. Dan pas wurmt hij het onder zijn T-shirt en spuit hij het laatste beetje onder zijn oksels.

Amen

Ze zijn al een keer gaan kanovaren een eind verderop langs de rivier. Sil zelf in een kano, papa samen met Geerten, en mama samen met Mare. En hier, niet ver van de camping, is papa ook al eens geweest met Geerten en Sil elk in een eigen kano. En nu wil mama dat. Dan gaat papa dit keer met Mare naar de markt in het stadje.

Papa brengt mama, Geerten en Sil naar de kanoverhuur langs de rivier. Mare en hij blijven kijken hoe Sil en Geerten zwemvesten aan krijgen.

'Bij die watervalletjes moet je er recht insteken,' waarschuwt papa mama. 'Anders loop je vast op de rotsen. En je kunt bij die overhangende bomen het best de rechterkant nemen, daar is het water het diepst. En...'

'Ja! Het lukt wel!' snauwt mama. 'Het is niet voor het eerst dat ik in een kano zit! Als je zo doorgaat, denken de jongens nog dat ik niets anders kan dan stofzuigen en eten koken!'

Oei. Papa krijgt een rooie kop. Hij zegt iets onaardigs tegen mama. Ze doet maar net alsof ze het niet verstaat en loopt naar Geerten en Sil. De eigenaar van de kano's helpt met instappen en blijft met zijn handen in zijn zij nog even staan kijken.

'Zijn jullie er klaar voor?' vraagt mama luid aan Sil en Geerten.

Sil duwt zich al van de kant weg met zijn peddel. Geerten ook. Maar zijn boot draait rond. Hij botst tegen Sil en mama aan. 'Rustig je rechterpeddel in het water houden,' zegt mama. 'Nee, dat is je linker. De andere peddel. Zo ja.' Maar Geerten drijft steeds verder af en komt in een wirwar van waterplanten terecht.

Mare kijkt omhoog naar papa's gezicht. Ze ziet dat hij wil

roepen hoe het moet. Zijn lippen bewegen zelfs. Hij ergert zich omdat de verhuurder staat te kijken en mama niet meteen, huppetee, in de stroming van de rivier meevaart, zoals hijzelf de vorige keer. Net als iemand die thuis nooit anders doet dan kanovaren.

'Mama kan het wel, hoor,' zegt Mare.

Papa kijkt naar beneden. Hij trekt zijn wenkbrauwen op. 'Vraag ik jou soms wat?' zegt hij onaardig.

Stommerd! Mare zegt het niet hardop. Ze loopt weg van papa naar de waterkant. Geerten doet het eindelijk goed met zijn peddel. Mama heeft zijn kano losgetrokken uit de waterplanten. En nu varen ze de goede kant op.

Marc zet haar handen naast haar mond. 'Goed zo!' schreeuwt ze.

Mama kijkt om. Ze steekt haar hand op. 'Dag schat, tot straks!' roept ze over het water.

Naar papa roept ze niks en Geerten en Sil kijken niet om. Die hebben het te druk met peddelen.

Papa parkeert de auto op de grote parkeerplaats onder aan een rots met een klooster erop. De schaduw van de rots houdt de parkeerplaats koel en dat is fijn want het is heet buiten. De klokken van het klooster beieren zo hard dat Mare niets tegen papa kan zeggen. Hij zou het toch niet verstaan.

Papa geeft haar een hand. Ze hollen naar de hoge stenen bogenbrug over de rivier. Als ze op tijd zijn, kunnen ze mama, Geerten en Sil daar nog net onderdoor zien komen. Het is spannend want diep onder de brug zijn kleine stroomversnellingen en uitstekende rotsdelen.

Als ze op de oude brug staan, beginnen de klokken van het klooster langzamer te beieren tot ze eindelijk stilhangen. Dan kan Mare het bruisen en het spetteren van het wilde water onder zich horen. Ze stapt op de onderkant van de dikke stenen brugleuning en leunt naar voren om naar beneden te kijken.

Papa pakt haar vast aan de achterkant van haar T-shirt. Hij wijst met zijn andere hand. 'Daar komen ze, dáár, bij die bomen.'

Mare ziet het water onder de brug kolken en schuimen. Bezorgd kijkt ze naar mama, Sil en Geerten, die snel dichterbij komen.

'Zo gaat-ie goed!' schreeuwt papa. Mama roept iets naar Sil en Geerten wat Mare niet kan verstaan. Ze hoeven amper te peddelen, zo snel worden de kano's meegetrokken in de stroming, maar ze moeten wel goed sturen. Mama gaat voorop. Ze kiest de veiligste stroomversnelling onder de brug en kijkt om naar Sil en Geerten. 'Recht naar voren erin, en flink peddelen!' schreeuwt ze.

Haar kano schiet daar in de diepte de rotsen voorbij en verdwijnt onder de brug. Sil peddelt zo hard hij kan. Zijn kano draait een beetje naar links maar hij krijgt hem net op tijd recht. En weg is hij, ook onder de brug.

'Geerten!' schreeuwt Mare.

Geerten hoort haar. Hij kijkt omhoog. Dus hij let niet op. Zijn kano draait en hij komt achterstevoren te liggen. En op dat moment komt hij ook in de stroomversnelling terecht.

'Hola!' roept papa. Hij kijkt alsof hij over de brugleuning wil springen om Geerten te helpen maar hij ziet natuurlijk wel dat dat niet kan. Hij zou zijn benen breken, zo hoog is de brug, of zelfs zijn nek!

Geerten glijdt met een verschrikt gezicht achterstevoren de stroomversnelling af en verdwijnt onder de brug.

Papa en Mare rennen naar de andere kant van de brug. Daar komt Geerten al weer tevoorschijn. Zijn kano botst tegen een rots, draait om, en hij vaart verder alsof er niets gebeurd is.

Mama lacht erom. Ze zwaait naar boven. 'Tot straks!'

'Zagen jullie mij?' schreeuwt Sil.

Papa en Mare knikken en zwaaien. 'Tot straks!' schreeuwt Mare.

Geerten kijkt niet meer achterom. 'Je had hem ook niet moeten roepen!' moppert papa op Mare. Ze kijken tot ze mama, Sil en Geerten niet meer zien. Dan gaan ze snel weg uit de brandende zon naar een cafeetje met parasols: lekkere koffie voor papa en orangina voor Mare.

Als papa en Mare van alles hebben gekocht op de markt, gaat papa een tweede kopje koffie drinken. 'Jij mag wel even rondlopen,' zegt hij tegen Mare. 'Maar niet verder dan die kerk, zodat ik je kan zien.'

Mare ziet een meisje op de trap van de kerk. Ze loopt langzaam naar haar toe en gaat een stukje van haar af zitten. Het meisje kan vast aan Mares neus zien dat ze geen Frans spreekt, want ze zegt niets tegen Mare en ze doet net alsof ze haar niet ziet. Ze speelt met een poppetje met lang, roze haar. Mare wil heel graag meespelen, maar ze durft niets tegen het meisje te zeggen.

Als er een oude vrouw komt, staat het meisje op. Samen met de vrouw loopt ze weg door de smalle straat, in de schaduw van de huizen.

Nu zit Mare daar helemaal alleen op de trap van de kerk. Ze kijkt om naar papa, maar ze kan zijn gezicht niet zien want hij zit een krant te lezen. Ze draait zich om en kijkt omhoog naar

de kerk. Onder een stenen boog gaapt de hoge donkere deuropening.

Mare staat op en klimt verder de trap op. Bovenaan kijkt ze nog eens om. Papa let niet op haar. Ze stapt langs de zware deuren vol dof glanzende oude spijkers en gaat de kerk binnen.

Het ruikt vreemd in de kerk. Mare is wel eens in een kerk geweest toen omaatje, de oma van papa, werd begraven. En ook een paar keer op vakanties, samen met mama, in koele Franse kerken zoals deze. Maar ze is nog nooit alléén in een kerk geweest. Haar ogen moeten wennen aan het donker. Langzaam loopt ze verder naar binnen langs de muur, waar schilderijen aan hangen.

Vooraan in de kerk staat een beeld van Maria met het kindje Jezus. Mare gaat op de voorste kerkbank zitten en kijkt ernaar. Dit kindje Jezus is een rare baby. Hij heeft een soort spierballen en hij lijkt te groot en te zwaar voor Maria. Er is ook een stukje van zijn neus af, en hij heeft geen pink. Hij ziet er niet lief uit, maar griezelig.

Mare kijkt verder om zich heen. Aan de zijkant bij een pilaar staat een soort dienblad met flakkerende kaarsen erop. En in een donkere nis staat nog een eenzame kaars, voor een beeld van een man in een pij die een bijbel vasthoudt. De kaars is bijna opgebrand.

'Amen,' fluistert Mare.

'Amen,' echoot haar stem.

Ze staat op. Zelfs het geschuifel van haar voeten klinkt hard.

Langs de andere kant van de kerk loopt ze terug naar de deur. Er is een hokje daar. Een soort kasthokje met paarse gordijntjes en raampjes en houtsnijwerk. Zou daar een wc in zitten? Mare kijkt om zich heen. Ze ziet niemand. Ze pakt het gordijntje en kijkt in het hokje. Het is er nog donkerder dan in de kerk. Ze ziet een bankje, en een raampje met gaas ervoor.

'Wat doe jij daar, jongedame?' fluistert plotseling een stem achter haar, en iemand pakt haar stevig in haar nek.

Mare schrikt zich lam. 'Papa!'

Papa grinnikt. Hij tilt Mare op en gaat met haar op schoot in een kerkbank zitten. Mare leunt tegen hem aan.

'Jezus' pink is eraf, kijk maar,' fluistert ze.

'Ajakkes!' zegt papa zacht, met zijn lippen tegen haar haren.

'Ik dacht dat dat een wc was.' Mare wijst met haar hoofd naar het hokje met het paarse gordijn.

Papa begint te schudden van het lachen; Mare schudt mee op zijn schoot. Als papa een beetje is uitgelachen, zegt hij: 'Dat is een biechthokje. Daar kun je in, en dan zit daar in het midden een meneer die voor de kerk werkt. Daar kun je door dat gaas aan vertellen wat je voor stouts hebt gedaan.'

Mare kijkt naar papa's gezicht om te zien of hij haar voor de gek houdt. Maar hij knikt haar ernstig toe.

'Als je iemands jas aan een ander haakje aan de kapstok hebt gehangen,' bedenkt Mare. Zij doet dat altijd met de jas van Ca- rolien, die bij haar in de klas zit. Ze gluurt door haar wimpers naar papa's gezicht. Papa grinnikt.

'Als je koekjes had gepikt...' zegt hij. 'Als je meisjes had ge- pest. Als je naar de grote borsten van je tante had gekeken. Als je de gymschoenen van de meester met het gietertje vol water had gegoten.'

'Deed jij dat?' vraagt Mare met grote ogen. Ze is er rechtop van gaan zitten.

'Dat... en nog veel meer,' zegt papa.

'En ging jij dat dan allemaal in zo'n hokje vertellen aan die meneer?'

'Ikke niet meer, maar opa nog wel, toen hij een jongetje was. En dan kreeg hij rare straffen. Soms moest hij twintig keer iets bidden terwijl hij geknield met zijn knieën in zijn klompen zat.'

Daar moet Mare over nadenken. Met zijn knieën in zijn klompen?

'Die houten randen doen erg zeer aan je knieën,' legt papa uit. 'Dan zat opa met tranen in zijn ogen te bidden.'

'Maar wáárom moest dat dan?'

'Als hij dan klaar was met bidden, dan waren zijn zonden vergeven. Dan hoefde hij nergens spijt meer van te hebben. Hij had zijn straf gehad en daarmee was de zaak afgehandeld.'

'Vond opa het erg?' vraagt Mare. Ze laat zich van papa's schoot glijden en gaat staan.

'Dat van die klompen vond hij niet leuk,' zegt papa. 'Maar opa komt nog steeds graag in de kerk. Hij houdt ervan dat alles daar nog net zo is als vroeger, en dat hij daar zijn familie ziet, en zijn buren en zijn kennissen uit het dorp. Het geeft hem een gevoel dat tenminste één klein stukje van de wereld niet veranderd is.'

'Is de hele wereld dan veranderd?'

'Ja.'

'Vind jij dat niet leuk?'

'Soms niet. Soms vind ik alles maar moeilijk en ingewikkeld. Dat wist jij niet, hè, van je vader?'

Mare legt haar hand op papa's arm. 'Maar je kan toch alles wel,' zegt ze troostend.

'Ja,' papa zucht. Dan klaart zijn gezicht op. 'En als ik het niet meer weet, dan zijn jullie alweer oud genoeg en dan weten jullie zoveel van computers en zo, dan vraag ik het wel weer aan jullie!' zegt hij.

'Ik help je wel hoor, als ik groot ben, en Sil en Geerten ook.' Mare knikt.

Papa doet geld in een doosje. Hij koopt een kaars. Mare zet hem neer bij de man in de pij.

'Je mag er iets bij zeggen,' zegt papa.

'Wat dan?'

'Voor omaatje, van ons, of zo.'

'Deze kaars is voor jou, omaatje. En het gaat goed met opa van die klompen, hoor,' zegt Mare. 'Amen.' Papa tilt haar op en helpt haar de kaars aansteken en vastprikken naast de andere kaars. Dan draagt hij haar de kerk door naar de deur en stapt naar buiten, het oogverblindende licht in.

Sil, Geerten en mama worden netjes met een busje in het centrum van het dorp afgezet. Sil rent meteen naar papa en Mare toe. 'Zagen jullie hoe goed ik in de stroomversnelling ging?' roept hij.

Papa knikt en steekt zijn duim op. Hij wacht tot Geerten bij hem is en slaat hem vriendelijk op zijn rug.

'Achterstevoren, dat is pas knap!' plaagt hij.

Mama komt er lachend bij zitten onder de luifel van het cafeetje. 'Hebben jullie hier de hele ochtend gezeten?' vraagt ze.

'Helemaal niet! We hebben ook boodschappen gedaan,' zegt papa verontwaardigd. Maar hij lacht terug naar mama en wenkt de ober intussen dat hij nog twee koffie en drie orangina moet brengen.

'We waren in de kerk en daar hebben we een kaars aangestoken voor omaatje,' vertelt Mare.

Mama kijkt naar papa's gezicht. 'Jij in de kerk?' zegt ze vragend. En dan knikt ze naar Mare. 'Dat is lief van jullie,' zegt ze. 'Je hebt weer eens goed op papa gepast, Mare.'

Maar ze zegt het niet om papa echt te plagen, want ze legt haar hand op zijn knie en Mare ziet dat ze hem een zacht kneepje geeft.

Storm

Mama staat aan de rand van het zwembad en wijst naar de lucht. 'Jongens, Mare, kom eruit. Ik wil dat jullie je gaan aankleden. Ik vertrouw het niet. Het wordt ineens zo donker.'

Sil klimt al op de kant. 'Denk je dat het gaat stormen? Het is nog steeds erg heet.'

Mama geeft hem zijn badhanddoek aan en wacht even op Geerten. 'Die mensen met die baby kwamen net zeggen dat er een stormwaarschuwing was op de radio. Papa is de tent al extra aan het vastzetten.'

Sil en Geerten kijken omhoog. Ja, daar is papa bezig. Ze zien hem met de rubber hamer extra haringen in de grond slaan. De slagen klinken dof en hol. Bij andere tenten wordt er ook gehamerd. Overal zijn mensen bezig hun spullen binnen te zetten en lopen er ouders om hun kinderen te halen. De lucht boven de heuvels is donkergroen en in de verte boven het meer bijna zwart.

Ze voelen zich ineens ongerust. Geerten geeft Mare haar handdoek. 'Ik moet nog naar de wc,' zegt hij met grote ogen.

'Ga maar gauw. Rennen!' Mama knikt.

'Ik ook,' zegt Sil.

'Wacht, wij gaan ook, dan hoeven we in elk geval straks niet.' Mama pakt Mares hand. Op een holletje rennen ze achter Geerten en Sil aan.

Als ze in het toiletgebouw komen, horen ze in de verte donder rommelen. Het is er vreselijk druk en lawaaierig. Moeders pro-

beren nog snel hun kinderen onder de douche te zetten en iedereen wil nog naar de wc voor de storm losbarst.

'Gaan jullie maar naar de heren-wc's,' zegt mama tegen Sil en Geerten. 'Daar is het misschien minder druk. En ga dan meteen naar de tent en kleed je aan. Jullie hoeven niet op ons te wachten. Misschien kunnen jullie papa nog ergens mee helpen.'

Sil en Geerten willen al wegrennen maar mama pakt Sil bij zijn arm. 'O, haal de parasol naar binnen, en de was!'

Sil knikt dat hij haar heeft gehoord en holt achter Geerten aan. Terwijl hij staat te plassen, hoort hij op het metalen dak boven zijn hoofd de eerste grote druppels vallen. Het klinkt als tromgeroffel, hard en onheilspellend. Een grommend, donderend geluid weerkaatst tussen de heuvels en de rotswand bij het meer.

Geerten staat al bij de deuropening. 'We hoeven niet op mama te wachten,' schreeuwt Sil. 'We moeten papa helpen!'

Ze rennen, zigzaggend langs mensen, over het pad en tegen de heuvel op. De regendruppels zijn groot en vallen hard op hun hoofd en hun schouders. Papa heeft de parasol al binnengehaald. Aan de was heeft hij niet gedacht. Geerten schiet de tent in, Sil rent achterom en begint de handdoeken en het ondergoed van de lijn te trekken. Als hij even later binnenkomt, is papa bezig de tentluiken over de horramen dicht te rollen. Haastig trekt hij de ritsen dicht en maakt de elastiekjes in de hoeken vast.

'Goed zo,' roept hij als hij ziet dat Sil de was heeft gepakt. 'Waar is mama?'

'Met Mare in het toiletgebouw.' Maar terwijl Sil het zegt, ziet hij mama en Mare onder aan de heuvel aan komen rennen. Hij wijst met zijn hoofd. 'Daar zijn ze al.'

Geerten heeft zich snel aangekleed. Hij trekt de rits van de slaaptent open zodat Sil het droge wasgoed op een van de bedden kan laten vallen. Intussen komt mama hijgend en lachend boven aan met Mare. Terwijl ze de tent binnenstappen, licht de hemel op door een enorme vertakkende bliksem.

Mare geeft een gil. 'Mama!' Meteen rommelt de donder, zo hard dat mama's sussende woorden niet te horen zijn.

Papa heeft het laatste luik dicht. Hij duikt de tent in en trekt de rits naar beneden. Het elastiek onderaan maakt hij, met zijn hand onder het zeil door, vast aan een tentharing. Dan springt hij op en trekt het grondzeil aan de randen omhoog, zodat het regenwater er onderdoor zal stromen.

Mama praat hard. 'Sil, kleed je aan. Mare, kom hier, ik heb je broek en je T-shirt hier.'

Sil gaat de slaaptent in, waar zijn kleren liggen. Door de opening van de rits kijkt hij de tent in terwijl hij zich aankleedt. Hij ziet dat papa en mama elkaar in het halfdonker over het hoofd van Mare heen aankijken. 'Ik heb alle stormharingen gebruikt,' zegt papa.

Mama zegt iets terug maar dat kan niemand verstaan. De regen komt plotseling met bakken uit de lucht. Het stroomt langs het tentdoek naar beneden en klettert tegen de plastic raampjes waar geen canvas luik overheen zit. De raampjes beslaan meteen. De zeilen onder aan het tentdoek klapperen in een plotselinge windvlaag.

Geerten loopt naar een van de raampjes. Hij wrijft er met zijn hand over. Papa trekt een stoel bij, gaat zitten en trekt Geerten op zijn knie. 'Je ziet geen hand voor ogen,' zegt hij tegen mama, die nog met Mare bezig is.

'Is het goed dat wij op een heuvel staan of juist niet?' vraagt Sil. Hij is aangekleed en geeft zijn natte zwembroek aan mama.

Papa kijkt bedenkelijk. 'Waarschijnlijk wel,' zegt hij. 'Als het goed is, stroomt het regenwater onder ons grondzeil door. Maar beneden, daar bij het zwembad, daar zouden de mensen wel eens wateroverlast kunnen krijgen.'

'Onze tent staat goed vast, hè?' piept Mare. Mama is klaar met haar. Ze komt tegen papa's andere knie leunen en probeert ook naar buiten te kijken.

'Héél goed,' zegt papa. 'Maak jij je maar niet ongerust, drop-pie van me.'

Soms regent het even minder hard. Maar de donder blijft rommelen en nu en dan rukken harde windvlagen aan de tent. Papa en mama hebben stokbroodjes met kaas en tomaat gemaakt, en koffie gezet. Ze zitten net met zijn vijven om de tafel als ze een loeiend geluid horen dat uit het dal omhoog lijkt te komen.

Papa laat zijn brood op tafel vallen en springt op. Hij grijpt het frame van de tent boven zijn hoofd en houdt het stevig vast. Hij hoeft niets te zeggen. Sil en mama zijn al overeind en grijpen het ook vast. Even is alles en iedereen fel verlicht door de bliksem en een enorme windhoos worstelt met de tent. Regen stort neer op het tentdoek en knallen, hard als vuurwerk, echoën tussen de heuvels.

'Het hagelt,' schreeuwt Geerten. Hij ziet modderig water over het grondzeil de tent binnenstromen en laat zich op zijn knieën vallen om het zeil omhoog te trekken.

Mare begint te huilen. Ze zit daar met haar mond vol brood wijdopen, en niemand kan haar troosten want iedereen is bezig.

'Rustig blijven, niks aan de hand!' buldert papa.

Ze horen lawaai en geschreeuw. Iets groots vliegt langs. De tent schudt. Het lege keteltje en een paar kopjes vallen van het kookstel en rollen over de grond. Een van de raamluiken waait los en er klinkt een scheurend geluid.

'Misschien is het veiliger in de auto!' schreeuwt mama tegen papa.

Maar papa schudt zijn hoofd. 'Nu niet!'

Bij alle herrie horen ze een nieuw geluid. Iemand trekt aan de rits van de tent. 'Doe open!' schreeuwt een mannenstem.

Geerten kijkt naar papa. Die gaat de tent niet loslaten en mama en Sil ook niet.

De rits gaat hortend en stotend een stukje verder open. De wind loeit even iets minder en dan horen ze het. Het krijsen van de baby. Hard en heel dichtbij.

Geerten trekt al aan de rits. Die schiet ineens omhoog. De Nederlandse vrouw uit de groene tent, met de schreeuwbaby op haar arm, stapt druipend naar binnen. Haar lange haren slierten voor haar gezicht. Het lijkt alsof ze heeft gehuild, maar het kan ook de regen zijn die langs haar gezicht stroomt.

'Onze tent!' roept ze. 'Onze tent.'

Haar man komt erachteraan. Ze blijven dicht tegen elkaar aan staan met de baby, die zo krijst dat Mare er nog harder van gaat huilen.

Geerten trekt de rits weer dicht. De wind rukt nu minder aan de tent. Mama laat de tentstokken los.

'Onze tent! Helemaal weg!' zegt de man. Hij draait verbijsterd zijn handen met de binnenkant naar boven. 'Ik hield het frame vast, maar hij werd zo uit mijn handen gerukt.'

Geerten en Sil kijken naar zijn handen. Grote, sterke handen. Maar de wind was sterker.

De storm is geluwd. Papa en de vader van de baby zijn buiten om te kijken wat er is overgebleven van de groene tent en de spulletjes die erin stonden.

Mama heeft de moeder van de baby koffie gegeven. De baby slaapt, zomaar, ondanks alle drukte, boven op Sils bed in zijn slaapcabine.

'Het regent niet meer, mogen wij nu ook naar buiten?' vraagt Sil. Hij kijkt door een raam. Overal liggen weggewaaide en afgescheurde spullen.

Mama knikt. 'Ga maar.'

Mare zit dicht tegen haar been aan te tekenen met de nieuwe kleurpotloden die ze voor haar verjaardag heeft gekregen. Nu en dan schokt er nog een snik door haar heen en kijkt ze op naar mama om te zien of alles echt weer in orde is.

Sil en Geerten stappen naar buiten. Overal ligt wel iets. Ze kijken vol verbazing. Sommige dingen herkennen ze eerst niet.

Als ze er dan dichterbij komen, zien ze pas wat het is. Een stuk tentdoek dat nat tegen een paal geplakt zit. Een lek plastic opblaasbadje dat over de tak van een boom hangt. Er zijn mensen die huilen omdat hun tent helemaal kapot is. Ze lopen heen en weer en zoeken naar hun spullen. Geerten krijgt tranen in zijn ogen. Hij kan niet zo goed tegen huilende mensen. Hij gaat altijd meehuilen, daar kan hij niks aan doen. Omdat hij niet wil dat Sil het ziet, loopt hij naar een bosje waar hij een zware afgebroken boomtak ziet liggen in een wirwar van kleinere takken en afgerukte bladeren. Als hij bukt om het bleke, afgescheurde hout van de tak te bekijken en de tranen uit zijn ogen veegt, ziet hij naast de tak iets liggen. Geknakt. Gebroken. Met dichte oogjes. Dood.

Geerten weet dat hij geen dode dieren moet aanraken. Maar dit is anders. Hij schept het voorzichtig met allebei zijn handen op. 'Sil!' roept hij. Hij draait zich om. 'Sil!' Tranen glijden over zijn wangen. Nu mag het. Nu is er echt iets heel ergs.

'Sil! Kijk nou! Een dood poesje. Hij lag hier tegen die boom...'

Sil is al bij Geerten. Hij kijkt met grote ogen. Het poesje heeft niet gebloed. Maar het is gebroken, zijn ruggetje of zo. Dat zien ze meteen.

Sil steekt zijn hand uit. 'Poes poes,' zegt hij met een hoge stem. Hij aait het poesje met zijn wijsvinger over zijn natte vachtje. 'Ach...' Hij krijgt ook tranen in zijn ogen. 'Hij is nog maar heel klein. Hij was vast erg bang in die storm.'

De moeder van de baby is nog steeds in de tent. Mama ziet de betraande gezichten van Sil en Geerten als ze binnenkomen. 'Wat is dat nou, jongens? Is er ergens iets ergs gebeurd?' vraagt ze geschrokken.

'We hebben een dood poesje gevonden.' Geertens stem beeft. Wat vervelend nou dat die vrouw er zit. Nou kan hij niet naar mama toelopen en zijn gezicht tegen haar aan duwen om te huilen.

'Ach!' zegt mama. Haar gezicht vertrekt. 'Wat zielig! Hoe kan dat nou?'

'Dat wilde zwarte poesje?' vraagt de vrouw. Haar gezicht wordt rood. 'Ach, en dat was zo'n schatje. Hij zat altijd in die bosjes bij onze tent. Hij was heel schuw, maar hij had honger. Dus we konden hem lokken met een schoteltje melk of stukjes kaas, daar was hij dol op. Dat arme beestje! We dachten er nog wel over om hem aan het eind van de vakantie mee te nemen naar Nederland. O, wat afschuwelijk allemaal.' En ze slaat haar handen voor haar gezicht.

Mama heeft Sil en Geerten limonade gegeven. Voor de schrik. De vrouw is weggegaan om papa en haar man te zoeken. De baby ligt nog te slapen.

'We gaan hem begraven. Mag ik de schep gebruiken?' vraagt Sil.

Mama denkt na. 'Wachten jullie anders even tot papa terug is. Ik vind het akelig als er niemand bij jullie is, als jullie zo verdrietig zijn. En ik moet bij de baby blijven.'

'Waarmee wachten?' vraagt Mare. Ze staat voor de tent. Ze is naar de wc geweest. De zon schijnt alweer. Als alle rommel er niet lag, leek het of het nooit gestormd had.

Geerten kijkt naar Mare. Hij krijgt opnieuw tranen in zijn ogen. 'We hebben een dood poesje gevonden,' vertelt hij. 'Een kleintje. We gaan hem begraven.'

'O!' zegt Mare met een hoog stemmetje.

'Wij kunnen het zelf wel,' zegt Sil tegen mama. 'Papa hoeft niet mee.'

'Mag ik mee?' vraagt Mare.

Sil en Geerten kijken naar mama.

'Nee, schat, blijf jij maar bij mij,' zegt mama. Ze wenkt Mare naar zich toe.

Mare stapt met tegenzin de tent binnen. Ze kijkt Sil en Geerten na die de schep uit de kofferbak van de auto gaan pakken.

Ze blijven staan bij de auto en praten met elkaar. Ze kijken naar de tent en dan weer naar elkaar. Geerten maakt een wijd gebaar met zijn arm. Uiteindelijk pakken ze de schep niet. Ze zijn iets van plan.

'Ik wil ook mee,' zegt Mare. 'Waarom mag ik niet mee? Waarom mag ik dat dode poesje niet zien? Ik ga heus niet huilen.'

Koning Arthur

De baby begint te brullen en dat is dit keer precies goed. Mama gaat de slaapcabine in om hem een schone luier om te doen en zo kunnen Sil en Geerten alles pakken wat ze nodig hebben. Sil pakt de lucifers. Geerten een waxinelichtje en een leeg potje waar appelmoes in heeft gezeten. Mare fluistert: 'Ik zeg niks als ik mee mag.'

Sil pakt een plastic tas. Ze kijken elkaar aan en knikken naar Mare.

'Mama, ik ga naar de schommels!' roept Mare als de baby even stil is.

'Goed, schat. Kijk meteen of je papa ook ergens ziet. Zijn Sil en Geerten al weg?'

Mare kijkt naar Sil en Geerten. Ze knikken.

'Ja.'

De baby brult alweer. Ze glippen de tent uit, hollen de heuvel af en lopen naar het bosje. Geerten heeft het poesje teruggelegd op de bladeren onder de boom. Mare kijkt er zwijgend naar, haar mondhoeken trekken naar beneden.

Sil houdt de plastic tas open. 'Stop jij hem erin?' vraagt hij aarzelend aan Geerten. Het lijkt oneerbiedig om het dode poesje zomaar in een plastic tas te stoppen, maar ze kunnen er ook niet zo mee rondlopen. Iedereen zou zich ermee gaan bemoeien.

Geerten wil het poesje oppakken, maar het is koud en stijf geworden. Geschrokken trekt hij zijn handen terug.

'Moet ik hem pakken?' biedt Sil aan. Geerten hoort aan zijn stem dat Sil het niet meent. Sil durft het niet. 'Nee... nee, het gaat wel,' zegt hij.

'Jullie moeten hem niet in die tas stoppen!' valt Mare uit. 'Dat is zielig.'

'Hij voelt het niet meer, hij is al dood,' probeert Geerten haar te kalmeren. 'Als we hem zomaar dragen, dan bemoeit iedereen zich ermee.'

'We kunnen hem hier toch begraven?' zegt Mare nu kleintjes.

'Nee, we hebben iets anders verzonnen. Een mooiere begrafenis. Net zoals...' Sil buigt zich naar Mare over. 'Weet je nog, voor de vakantie, toen jij een keer niet kon slapen en uit bed kwam? Toen mocht je die film van koning Arthur een stukje zien. Met ridder Lancelot die verliefd was op dat mooie meisje met dat lange haar, weet je nog? Maar dat meisje was al getrouwd met koning Arthur dus ze kónden niet verliefd op elkaar zijn. Weet je dat nog?'

Mare knikt heftig. Zeker. Ze weet het nog. Het was een mooie film en omdat het vechten toch al voorbij was, mocht ze bij mama op schoot zitten en meekijken naar het einde ervan.

'Weet je nog dat koning Arthur gewond was en dat hij toen doodging? Ze legden hem in een soort bootje en toen duwden ze dat bootje op een meer en hij dreef weg...'

Mare vertrekt haar gezicht. 'En toen konden ridder Lancelot en dat meisje toch verliefd op elkaar zijn. Enne...'

Sil gaat weer overeind staan. Hij kijkt Geerten triomfantelijk aan. Zo, dat heeft hij eens even mooi uitgelegd aan Mare. Maar daar vergist hij zich in.

'Jullie mogen dat poesje niet in brand steken met een vuurpijl!' gilt Mare.

Sil en Geerten schrikken zich wild. 'Ssst! Nee joh! Gekkie. Natuurlijk niet. Ssst!' Ze praten door elkaar heen om Mare te sussen.

Mares lippen trillen. Ze heeft dikke tranen in haar ogen. 'Maar in die film schoot ridder Lancelot een vuurpijl naar de boot van koning Arthur.'

'Ja, ja, maar dat was anders. Dat was in de riddertijd. Dat was heel éérvol!' legt Sil snel uit. 'Wij willen alleen maar een bootje maken voor het poesje, en dan bedekken we hem met takjes en bladeren en dan laten we hem wegdrijven op het meer. En we zetten een waxinelichtje bij hem!'

Mare is alweer stil. Maar haar mondhoeken trekken nog steeds erg naar beneden. Ze kijkt op naar Geerten. 'Ik mag ook bloemetjes op hem leggen, hè?'

'Tuurlijk,' zegt Geerten. 'Dat hoort erbij, toch, Sil?'

'Ja.' Sil knikt vol overtuiging.

Ze kijken om zich heen. Gelukkig is er niemand op Mares gegil afgekomen.

'Als we het poesje nou gewoon hier laten liggen, er komt hier toch niemand. Dan maken we eerst het bootje. Dan dragen we hem in zijn mooie bootje naar het meer. Als het donker is, dan kunnen we het lichtje ook goed zien.'

Geerten kijkt van Mare naar Sil om te zien wat ze vinden van zijn voorstel.

'Ja,' zegt Sil opgelucht. 'Ja, goed idee. En we hoeven geen bootje te maken. Ik weet al een soort bootje waar hij precies in past.'

In de luwte van een hoge rotswand ligt een oud gedeelte van de camping waar caravans staan. Op dat gedeelte van de camping staat alles nog overeind, net alsof het daar niet heeft gestormd. Om de caravans heen zijn tuintjes gemaakt. Sil heeft precies een goed bootje gezien in een van die tuintjes, beweert hij. Geerten en Mare sluipen achter hem aan. Ze begrijpen wel dat hij dat bootje vast niet zomaar mee mag nemen.

Onder hoge bomen staat een groen uitgeslagen, heel kleine caravan. Hij ziet eruit alsof hij ieder moment kan instorten. De tuin ziet er ook uit alsof er nooit iemand komt. Donker, nat, schimmelig en stil. Sil wijst. Er staat een grote, griezelige tuinkabouter met een kruiwagentje. Het bakje van de kruiwagen ligt er half af. De tuinkabouter heeft geen neus meer en zijn oor lijkt afgeknabbeld te zijn door iets engs. Mare trekt een gezicht. Ze pakt Geertens hand.

'Dat bakje van die kruiwagen?' fluistert Geerten.

'Ja, het is precies groot genoeg. En het is van hout, dus het blijft drijven.'

Sil wringt zich tussen twee coniferen door. Hij rent over het glibberige tuinpad naar de kabouter, rukt en trekt aan het bakje tot de laatste schroef losschiet, en rent ermee terug naar Geerten en Mare.

Mare en Sil leggen mos op de bodem van de houten bak. Geerten doet de plastic tas om zijn handen voor hij het poesje optilt. Hij durft het niet meer aan te raken met zijn blote handen. Zelfs door de tas heen voelt hij hoe koud het kleine lichaampje is.

Ze bedekken het poesje met takjes, bladeren en bloemen. Mare en Geerten moeten toch huilen. Sil snuft en veegt met zijn vuile handen over zijn gezicht, en zegt er niks van. Het zou juist erg zijn als er niemand zou huilen om zo'n lief klein poesje.

Als ze de laatste bloemen lostrekken van de steeltjes, staat papa ineens in het bosje.

'Zo, hier zijn jullie dus,' zegt hij.

Mare rent naar hem toe. 'Het is een babypoesje,' zegt ze. Ze duwt haar gezicht tegen zijn trui. Geerten en Sil stappen naar achteren zodat papa het bakje kan zien.

'Dat ziet er mooi uit,' zegt papa. 'Maar mama zei dat jullie hem gingen begraven?'

'We hebben een bootje voor hem gemaakt,' legt Geerten uit. 'We willen hem laten wegdrijven op het water, vanavond, als het donker is.'

'We hebben een kaarsje. Dat zetten we op het bootje,' zegt Sil.

'Zo.' Papa denkt na. 'Net als koning Arthur.'

Sil en Geerten knikken. Mare trekt aan papa's mouw. 'Maar we steken hem niet in brand, hoor,' zegt ze.

Als ze bij de tent komen, is de brulbaby er niet meer.

'Er zijn slaapplaatsen gemaakt in de sporthal in het dorp en daar zijn ze nu naartoe,' vertelt mama. 'Er zijn nog veel meer mensen van wie de tenten niet meer te gebruiken zijn. Die andere camping, verderop langs de rivier, weten jullie wel? Nou, daar stond bijna geen tent meer overeind.'

'De wind is precies hier door het dal gekomen. Daar achter die rotswand lijkt het wel alsof er helemaal geen storm is geweest,' legt papa uit.

Sil, Geerten en Mare denken aan de stille tuin met de enge tuinkabouter. Ze willen aanschuiven aan tafel. Maar mama pakt het zeeppompje en de handdoek. 'Eerst handen wassen,' zegt ze. 'Mét zeep! Helemaal tot aan je ellebogen. En was meteen je gezicht. Jullie zitten onder de vuile vegen.'

Papa loopt mee naar het toiletgebouw om te kijken of ze zich goed wassen. Er zijn veel mensen in de washokken. De droogtrommels zijn vol natte slaapzakken geprop en draaien allemaal. Er hangen lijnen vol wasgoed, binnen en buiten. Alle mensen praten in verschillende talen over de storm.

'Gelukkig zijn er geen doden gevallen,' zegt een vrouw in het Nederlands tegen papa.

'Er is een poesje doodgegaan,' vertelt Mare ernstig aan haar.

'O?' De vrouw kijkt ongelovig.

'Hij kreeg een zware tak op zijn rug,' legt Geerten uit.

'Echt?' De vrouw kijkt naar papa.

Papa pakt het pompje en de handdoek. 'Kom jongens,' zegt hij. 'We gaan eten.'

'Wat een stom mens!' valt Sil driftig uit tegen Geerten als ze buiten lopen. 'Ze gelóóft ons niet eens!'

Papa draagt het bootje met het poesje in het donker langs de rand van de camping naar het meer. Mare loopt naast mama. Mama houdt haar hand stevig vast. Sil en Geerten lopen naast elkaar en praten zacht. Geerten draagt het jampotje, dat hij netjes heeft afgewassen, en Sil heeft de lucifers bij zich in zijn broekzak.

Er staat een briesje op het kleine strand. De tractorband ligt er niet meer. Er is niemand. Aan de overkant, bij de donkere rotswand, zien ze nu en dan een lichtje.

'Waarom gaat dat lichtje aan en uit?' vraagt Mare.

'Het gaat niet aan en uit. De takken van de bomen die ervoor staan, bewegen heen en weer in de wind,' legt mama uit.

'Ssst!' Geerten en Sil staan al langs de kant van het water. Papa legt het bootje neer. Geerten zet het jampotje erop en Sil steekt het waxinelichtje aan en verbrandt zijn vingers als hij het brandend in het jampotje laat zakken. Met een vertrokken gezicht steekt hij zijn hand in het koude water.

Papa zet het jampotje goed rechtop op de bloemen en de bladeren.

Geerten neemt afscheid. 'Dag Arthur.' Hij had nog meer willen zeggen. Ridderdingen. Maar nu papa en mama erbij zijn, durft hij het niet. Hij geeft het bootje een zet. Het begint weg te drijven. Papa steekt zijn arm uit en geeft het nog een hardere duw. 'Het moet bij de stroming komen,' zegt hij.

Het bootje dobbert op de kleine golfjes. Dan maakt het plotseling een draai en wordt het meegevoerd. Het lichtje in de jampot flakkert, maar het blijft branden.

'Dag Arthur,' zegt Sil.

'Dag koning-poesje,' zegt Mare.

Mama zit in het zand. Ze gaan allemaal bij haar zitten. De maan staat laag en schijnt wit over het donkere water. Geerten zoekt hoog in de donkere lucht maar hij ziet de arend niet.

'Papa? Kan jij hier naar de overkant zwemmen?' vraagt hij ineens.

'Ik zou het niet in mijn hoofd halen! Er is hier vast een gevaarlijke stroming. Als je alleen al ziet hoe snel het bootje nu wegdrijft!' zegt papa.

'Het water is veel kouder dan je denkt, hoe verder je van de kant gaat,' zegt mama. 'Als je kramp krijgt, ben je nog niet klaar. Hebben jullie dat kruis gezien dat daar verderop onder de bomen staat?'

Sil en Geerten schudden hun hoofd. Mama staat op en tilt Mare op haar arm. 'Moet je maar eens kijken,' zegt ze. Ze lopen achter haar aan.

Er ligt een plastic bloemenkrans onder het kruis.

75

'Cédric,' leest papa. Er staan ook cijfers bij. Jaartallen.

'Veertien jaar,' rekent Sil uit.

'Er staat in het Frans: verdronken in dit meer,' zegt mama.

Sil en Geerten kijken naar elkaar, heel vlug, en dan weer een andere kant op.

'Ligt hier echt een dode jongen begraven?' vraagt Mare met grote ogen.

'Nee,' zegt mama. 'Dit kruis staat hier om mensen te waar-schuwen.'

Ze beginnen te lopen, terug naar de tent. Aan de rand van het strandje kijken ze nog een keer om. Het lichtje is al ver weg op het water. Maar het brandt nog.

'Iedereen gaat een keer dood,' zegt Sil.

Mare ligt met haar hoofd tegen mama's borst. 'Ik niet,' zegt ze.

'Jij ook,' zegt Sil.

'Als ik een heel oud vrouwtje ben,' geeft Mare toe.

'Ik als ik een heel oud mannetje ben,' zegt Geerten.

'Ik ook,' zegt Sil. 'Jullie ook, hè mama?'

Papa en mama glimlachen. 'Kom,' zeggen ze, 'we gaan jullie in bed leggen. Gelukkig staat onze tent nog overeind en alle slaapzakken zijn nog droog. Wij hebben geboft.'

Mare zucht diep. 'Ja,' zegt ze slaperig. 'Er is niet eens een rots op Sil of Geerten gevallen. Gelukkig maar, hè?'